BIG LIFE

빅 라이프

빅라이프 8

우지호 장편소설

초판 1쇄 찍은 날 | 2017년 2월 14일
초판 1쇄 펴낸 날 | 2017년 2월 21일

지은이 | 우지호
펴낸이 | 예경원

기획 | 위시북스
편집책임 | 박우진
편집 | 이즈플러스

펴낸곳 | 예원북스
등록번호 | 제396-2012-000132호
등록일자 | 2012. 7. 25
KFN | 제1-071호

주소 | 경기도 고양시 일산동구 호수로 646-24 위너스21 II 빌딩 206A호 (우)10401
전화 | 031-819-9431 팩스 | 031-817-9432
E-mail | yewonbooks@naver.com

ISBN 979-11-6098-083-7 04810
979-11-5845-517-0 (set)

※ 이 도서의 국립중앙도서관 출판시도서목록(CIP)은 서지정보유통지원시스템 홈페이지(http://seoji.nl.go.kr)와 국가자료공동목록시스템(http://www.nl.go.kr/kolisnet)에서 이용하실 수 있습니다.

BIG LIFE
우지호 장편소설
8
WISHBOOKS MODERN FANTASY STORY
빅라이프
Wish Books

빅라이프
BIG LIFE

CONTENTS

68장 사람 잘못 건드리셨네 7

69장 경비원이 아닙니다 29

70장 차기작은 의외로 51

71장 내 인맥이 최고군 77

72장 비가 그쳤다 93

73장 피차 열심히 합시다 115

74장 이것이 중국인가 137

75장 종로 한가운데 165

76장 가난한 작가의 일상 193

77장 틀리지 않았어요 217

78장 단막극 아니었습니까 239

79장 준비된 자에게는 반드시 267

68장
사람 잘못 건드리셨네

“말끔하게 처리할 수 있겠지?”

“염려 놓으십시오, 회장님. CCTV까지 전부 확인했습니다.”

두 손을 앞으로 모으고 선 김 실장이 대답했다. 속으로는 ‘제가 어디 이런 일 처리한 게 한두 번입니까?’라는 말을 덧붙이고 있었다.

“뭔 경비원 나부랭이라고 소속감도 없어?”

그렇게 이죽거리는 사람은 MPC그룹의 대표이사이자 회장인 정우혁이었다. 이제 환갑을 넘겼지만 거칠고 투박한 혈기는 젊은 시절 그대로였다.

“맞을 짓을 했으면 한 대 맞고 제가 잘못했습니다 하면 되는 거 아냐?"

이곳은 우혁이 곧잘 드나드는 고급 살롱이었다. 뇌쇄적인 드레스를 입은 아름다운 여자가 양옆에 찰싹 들러붙어 있었다.

한 여성이 권하는 안주를 밀어내고 그는 말을 이었다.

"한잔 마시고 툭툭 털라고 술값까지 챙겨줬더니만 감히 그것도 거절하고 날 신고하다니. 김 실장은 이게 말이 된다고 생각해?"

"그러게 말입니다. 저도 어처구니가 없습니다."

"망할 놈의 자식 같으니. 그따위로 사니까 그 나이에 아직도 경비원 신세지. 아, 피곤해."

MPC그룹은 한국의 외식 기업이다.

코스닥에도 상장하여 시가총액이 2,400억 원 이상에 달한다. 피자 전문점인 '마스터 피자'로 가장 널리 알려져 있었다.

우혁이 실장에게 손가락질을 하며 다시금 강조했다.

"아무튼 정리 잘해. 나랑 회사에 피해 안 오도록 하라고."

"네, 회장님. 저 아시지 않습니까."

"뭐하고 섰어? 앉아서 한잔해."

"감사합니다. 제가 한잔 드리겠습니다."

비로소 안심한 우혁이 잔 가득 술을 받았다.

신나는 웃음소리가 룸 안을 쩌렁쩌렁 울렸다.

BIG LIFE

"두 대 맞으셨대."

"어디를?"

"얼굴……."

재인은 울음을 삼키려 콧등을 찡그렸다. 소용도 없이 퉁퉁 부은 두 눈에 또 한 번 눈물이 가득 고였다.

"얼굴을 어떻게 맞으신 건데?"

"처음 한 대는 주먹이고, 다음은 주먹인지 손바닥인지 잘 모르시겠대. 아무튼 두 대 맞으셨어."

재건은 반쯤 정신이 나갈 지경이었다.

급박한 목소리로 재인이 전화를 걸어왔을 때 그는 연우와 새 차 시승식을 하는 중이었다.

연우가 대신 운전을 하고 있어서 참으로 다행이었다. 아버지가 폭행을 당했다는 말을 운전하는 중에 들었다면 사고가 났을지도 모르니까.

"언제부터 일하셨던 거야?"

재건이 낮은 음성으로 물었다. 아버지가 건물 경비원으로 일하고 있었다는 사실을 전혀 모르고 있었다.

사건의 발단은 별것도 아니었다. 근무 중 문을 닫을 시간이 되자 아버지는 지침대로 문을 닫았다. 그런데 마침 건물의 식당 안에는 MPC그룹의 회장이 남아 있었다. 건물에 갇힌 그는 전화를 걸었고 아버지는 부랴부랴 달려와 문을 열어 주었다.

회장이 갇혀 있던 시간은 불과 몇 분이 되지 않았다.

그 짧은 시간 자신을 갇히게 했다는 이유만으로 경비원의 멱살을 잡고 얼굴을 두 대나 때렸던 것이다.

"물어보잖아. 아버지 언제부터 일하셨던 거냐고."

재건이 원망스러운 눈초리로 쏘아보며 재차 물었다.

으르렁거리는 목소리는 마치 야수와도 같았다. 동생을 누구보다도 잘 안다고 자부하던 재인은 놀라서 몸을 움찔 떨었다.

"조, 좀 되셨어. 집에만 있기 답답하다고 하셔서……."

"왜 나한테는 말 안 했어?"

"아버지가 신신당부하셨어. 일하는 거 너한테 말하지 말라고. 네가 싫어할 게 당연하니까……."

"그걸 지금 말이라고 하는 거야?"

"미안해. 미안해, 재건아……! 누나도 이런 일이 생길 줄은 몰랐어, 으흐흑……!"

급기야 재인이 두 손바닥에 얼굴을 묻고 오열했다.

재건은 거실 천장 위로 두 눈을 치켜떴다. 울화로 가득해진 가슴이 터져 버릴 것만 같았다.

상처는 경미해서 전치 2주라고 했다. 입 언저리를 조금 다친 정도라서 병원에 다니면서 치료할 정도는 아니었다.

하지만 재건에게는 그것으로 다행이라고 그칠 일이 아니었다. 다른 누구도 아닌 아버지가 맞았다.

그것도 별다른 잘못도 없이.

평생을 성실하게 살아온 아버지다. 언제나 가족을 먹이고 입히는 것이 우선이었다. 자기 자신의 일로는 천 원 한 장 쓰는 것조차 아까워한 사람이다.

이제 노년으로 접어들면서 안락한 삶을 살아가야 마땅할 아버지를 건드리다니.

재건은 살의라는 단어의 의미를 가슴 깊숙이 체감했다. 저절로 쥐어진 두 주먹이 분노로 벌벌 떨릴 지경이었다.

"재, 재건아……."

재건이 자리에서 벌떡 일어섰다. 계단을 밟아 부모님이 계신 2층으로 올라가는 그를 재인은 차마 붙잡지 못했다.

"아버지, 계세요?"

재건이 방문 앞에서 노크를 하며 물었다.

돌아오는 대답이 없자 그는 문고리를 붙잡았다.

"잠깐 들어갈게요."

재건이 문을 천천히 열었다.

그의 아버지 석재는 등을 보인 채로 돌아앉아 있었다. 턱없이 왜소해진 뒷모습을 보는 것만으로 재건은 양 눈시울이 뜨거워졌다.

"저녁은 드셨어요?"

"먹었다."

재건이 고개를 끄덕이며 최대한 담담한 어조로 말을 이었다.

"네. 그리고 잘하셨어요. 바로 진단서 끊으시고 신고하신 거 정말 잘하셨어요. 그렇게 하셔야 되는 거예요."

"……."

석재는 아무런 대답이 없었다. 재건 쪽으로 몸을 돌리려고 하지도 않았다. 그저 불상처럼 양반다리를 하고 가만히 앉아 있을 뿐이었다.

재건은 하고 싶은 말을 억지로 눌러 담았다. 이런 상황에 아들의 얼굴을 보기 힘든 아버지의 고통을 헤아릴 수 있었기에.

그래서 다른 말로 대신했다.

"저 얼마간 여기 있을 거니까 다른 걱정은 이제 하지 마세요. 나머지 일들은 제가 처리할게요, 아버지."

"글은 쓰던 데서 써야지. 여기서 편하게 쓸 수 있겠냐?"

재건이 결국 두 눈을 적시며 헛웃음을 터뜨렸다.

이런 상황에도 아들의 일부터 걱정하는 아버지라니.

시큰거리는 속을 숨기고 아무렇지도 않은 듯이 대답했다.

"제 방도 있고 노트북도 가져왔는데요. 여기가 원래 제 집이잖아요. 불편할 리가요."

"그래……."

"그럼 나가볼 테니 쉬세요."

뒤로 물러선 재건이 문을 닫으려 하는 순간.

"재건아."

"네, 아버지."

"내가 잘못했다. 미안하다."

"……!"

재건이 두 눈을 질끈 감았다.

그리고 대답 없이 문을 닫았다. 위대한 나의 아버지는 아들에게 이런 말씀을 하시면 안 된다. 못 들은 걸로 여길 생각이었다.

BIG LIFE

―집에 작은 문제가 생겨서 사흘 후 있을 기획 팀 회의에 참석할 수 없을 것 같습니다. 직접 죄송하다는 말씀을 드리

고 싶어 이렇게 연락드렸습니다.

"아아, 네……."

규호가 한쪽 눈두덩을 실룩이며 대답했다. 짜증이 났을 때 으레 나오는 습관들 중 하나였다.

-어차피 제가 회의에 참석하는 목적은 게임 마지막 챕터 시나리오가 잘 구성이 되었는지 확인하는 정도니까요. 이사님과 기획 팀분들께서 알아서 잘해주셨으리라 믿습니다.

"네, 하지만 말씀드렸다시피 그날은 하 작가님을 모시고 저녁 식사를 하는 것에 의의를 둔 날인데요. 좋은 곳으로 모시려고 했고 직원들도 기대가 큰데 이것 참 많이 아쉽습니다."

-말씀만 들어도 배가 부릅니다. 잘 얻어먹은 걸로 여기겠습니다.

더는 얘기할 여지가 없어 보였다. 포기한 규호는 소리 없이 한숨을 내쉬며 고개를 끄덕였다. 그리고 예의상 물었다.

"집에 문제가 생겼다는 말씀이 걸리는데, 큰일은 아니신가요?"

-네, 괜찮습니다.

"알겠습니다. 그럼 부디 잘 해결되시길 바랍니다. 일정은 추후 다시 잡기로 하지요."

-정말 감사합니다. 그럼 나중에 또 연락드리겠습니다.

전화가 끊어지고 규호는 핸드폰을 내려놓았다.

답답한 넥타이를 풀면서 그는 중얼거렸다.

“아 나, 진짜. 하재건 이 인간, 영 마음에 안 들어.”

규호는 책상을 손가락으로 또드락거리며 생각에 잠겼다.

어쩌면 말과는 달리 아주 심각한 문제라도 생긴 것이 아닐까.

‘이 인간이 나한테 직접 전화를 걸어와서 사과할 정도면…… 아무래도 뭔가가 거슬리는데.’

재건이 단순하게 문제가 있다고 말했다면 이렇게 고민하지도 않았으리라. 하지만 그는 ‘집안’ 문제라고 했다. 그의 집안에는 재인도 있는 것이다.

‘거슬려…… 거슬려……. 아주 거슬려…….’

규호는 고개를 갸웃거리며 사무실 내부를 이리저리 걸어다녔다.

문득 시계를 보니 정오 10분 전. 대부분의 사람이 보편적으로 점심을 먹을 시간이 코앞이었다.

‘다른 의미로 찾아가는 게 아니야.’

핸드폰과 지갑을 챙기면서 규호는 스스로를 납득시켰다.

‘하재건은 우리가 만드는 게임의 원작자야. 소중히 다뤄야 할 인재지. 내가 그를 걱정하고 챙기는 건 당연해. 그가 직접 말하지 않으니 가족을 찾아갈 수밖에. 이건 일의 연장선일

뿐이야.'

호출을 받은 김 기사가 즉시 주차장으로 달려왔다.

그가 차문을 열어주자 규호는 뒷좌석에 몸을 실으며 말했다.

"미안합니다, 쉬시라고 해놓고. 갑자기 일이 생겨서."

"무슨 말씀이십니까. 당연히 제가 해야 할 일인데요."

김 기사가 환히 웃으며 대답했다.

지금껏 4년이 넘도록 규호의 기사로 일하면서 부당한 대우를 받은 적은 한 번도 없었다. 오히려 더 챙겨주는 사람이 규호였다. 할 수만 있다면 평생 그의 기사로 살고픈 것이 김 기사의 마음이었다.

"어디로 모실까요, 이사님?"

"수원 갑시다."

"네, 알겠습니다."

김 기사는 눈치가 빠른 사람이었다. 어디냐고 되묻지도 않았고 내비게이션을 설정하지도 않았다. 시동을 걸자마자 그는 핸들을 잡고 액셀을 밟았다.

"도로가 한산해서 40분이면 도착할 것 같습니다."

"그래요. 가는 길에 뭐 좀 사 가지고 갑시다. 그러고 보니 학원 근처에 빵집이 있었던가?"

"네, 있었습니다. 저도 빵이 좋을 것 같습니다."

막힘없이 목적지에 도착한 규호는 손수 고른 빵을 한 봉지 들고 건물로 들어섰다. '2층 재인학원'이라는 팻말을 보자마자 까닭도 없이 기분이 좋아지는 규호였다.

"흠, 계십니까?"

규호가 문을 열고 들어서며 목소리를 냈다. 기이하게도 응접실의 불이 꺼져 있었다.

'뭐지? 문은 열려 있는데.'

규호는 어둔 응접실 한가운데에 멍하니 섰다. 바로 그때, 복도 쪽의 화장실에서 나온 재인이 그의 뒷모습을 알아보고 말했다.

"이사님?"

"아, 원장님. 안녕하세요."

즉각 돌아선 규호가 인사를 건넸다. 없으면 어떡하나 하고 걱정하던 참이었기에 재인을 본 그의 입가에는 미소가 넘쳤다.

"어쩐 일이세요. 아, 죄송해요. 불 켤게요."

재인이 황망히 스위치를 눌러 응접실의 조명을 환히 밝혔다. 인기척이 전혀 느껴지지 않는 학원을 돌아보며 규호는 물었다.

"오늘 학원이 휴일인가 봅니다?"

"네, 네……. 집안일 때문에 3번 보충해 주기로 하고 부득이 쉬게 됐어요. 저는 좀 챙길 게 있어서 잠시……. 그것보다 커피 드릴까요?"

"부탁드리겠습니다. 이건 뒀다가 나중에 드시죠."

"아, 이런 거 매번 사 오시지 마세요. 고맙습니다, 이사님. 잠시만 앉아 계세요."

재인이 뜨거운 커피 한 잔을 가져다 탁자 위에 내려놓았다.

"……?"

규호는 감사히 커피를 받으며 재인의 기색을 힐끗 살폈다. 활기가 넘치던 예전 모습이 아니었다. 한없이 수척한 얼굴이 마치 병자처럼 느껴졌다.

"무슨 일이라도 있으신 겁니까?"

재건과의 통화 내용을 되새기며 규호가 물었다. 그의 예리한 본능은 이미 재건의 집안에 큰 문제가 생겼음을 직감하고 있었다.

"하재건 작가님과 통화를 했습니다. 집에 문제가 생겨서 회의에 불참해야겠다고 말씀을 하시더군요. 재인 씨, 아니, 원장님의 얼굴도 우환이 있으신 것 같고요."

"걱정해 주셔서 감사드려요. 하지만 별일 아니에요."

규호는 대답을 회피하는 재인을 득달같이 물고 늘어졌다.

"별일이 아닌 것 같으니까 여쭤보는 겁니다."

"……."

"하재건 작가님께서 말씀하시던 뉘앙스도 결코 작은 문제 같지는 않던데요. 목소리가 몹시 어두웠습니다."

규호가 대답을 이끌어 내기 위해 거짓말로 덧붙였다. 실상 통화할 때 들었던 재건의 목소리는 언제나 그랬듯이 사무적이었고 담담하기만 했다.

"부디 오지랖으로 치부하지 마시고 말씀해 주셨으면 좋겠습니다. 하재건 작가님은 저희 넥션 입장에서 몹시 귀중한 분이십니다. 제가 걱정하고 사정을 여쭤보는 건 어찌 보면 당연합니다."

"그게…… 사실은요……."

한참이나 모은 두 손을 꼼지락거리던 재인은 비로소 사실을 털어놓았다. 규호는 거의 표정이 변하는 일 없이 그녀의 말을 묵묵히 들었다.

"문제는 CCTV도, 아무것도 없고……. 그쪽에서는 단순히 말싸움만 오갔을 뿐이고 아버지의 상처는 자기도 모르는 거라고……."

"배째라는 거군요. 알아들었습니다."

한참을 듣고 난 규호가 일시에 웃으며 대답했다. 식어버린 커피를 한 번에 마시고 난 그는 자리를 털고 일어섰다.

"진실은 드러나게 돼 있습니다. 너무 크게 심려치 마시고 기다려 보세요."

"……위로 말씀 감사합니다."

"점심 안 드셨죠? 제가 아침부터 굶어서 사실 배가 몹시 고픕니다. 입맛 없으시더라도 자리 좀 같이해 주시면 무척 감사하겠습니다."

재인이 미간을 좁히고 웃으며 고개를 끄덕였다. 규호의 마음씀씀이에 속으로 고마워하면서 그녀는 자리에서 천천히 몸을 일으켰다.

"멀리서 와주셨는데 함께 가드려야죠. 그때 드셨던 식당으로 가시겠어요?"

"좋습니다. 거기 아주 맛있었습니다."

식당에 자리를 잡은 직후.

규호가 화장실에 다녀오겠다는 말을 남기고 바깥으로 나왔다. 재인 앞에서 내내 유지했던 미소는 온데간데없었다. 핸드폰을 꺼내 든 그는 바로 단축 번호 하나를 눌렀다.

—안녕하십니까, 이사님.

"고 실장님, 부탁 하나만 합시다."

—부탁이라는 말씀은 마시고 뭐든지 분부하십시오.

고 실장의 굵직한 목소리에서 기운이 넘쳤다. 그는 틀림없는 규호의 부하 직원이지만 게임 회사 넥션 소속은 아니었다.

"MPC 정우혁에 대한 얘긴데……."

규호는 식당 안에 오도카니 앉은 재인을 슬쩍 돌아보며 간략하게 정황을 설명했다.

그다지 길지 않은 말을 듣고 난 고 실장이 금세 대답했다.

—할 수 있는 것 이상으로 해보겠습니다. 우선 주변에 주차돼 있던 차들 블랙박스부터 모조리 훑어본 다음 바로 보고를 올리겠습니다.

"부탁합니다. 고생해요."

—네, 이사님.

전화를 끊은 규호는 비릿하게 웃었다.

정우혁이라는 사람의 됨됨이는 오래전부터 알고 있었다. 약한 인간은 철저히 짓밟고 강한 인간 앞에선 한없이 약해진다. 좋게 말하면 처세가 좋고 나쁘게 말하면 비열하기 짝이 없는 뱀과 같은 인간이었다.

"우리 회장님 피자만 만들다 보니 뇌가 밀가루 반죽이 되셨나. 세상 무서운 줄 모르고…… 사람 잘못 건드리셨네."

그렇게 중얼거리며 규호가 몸을 돌렸다. 언제 그랬었냐는 듯이 재인을 향한 그의 얼굴은 아까처럼 온화한 표정을 되찾고 있었다.

그리고…….

규호는 그날 안으로 고 실장의 보고를 받았다.

“여기가 맞나……?”

백팩을 멘 30대의 사내가 단독주택을 우러러보며 중얼거렸다.

그의 이름은 주상열.

직업은 지역 인터넷 뉴스 업체의 기자였다. 폭행을 당한 석재를 심층적으로 취재하기 위해 찾아온 참이었다.

문 앞을 기웃거리는 상열의 뒤로 명자가 다가왔다. 찬거리가 든 봉투를 다른 손으로 바꿔 들며 그녀가 물었다.

“누구세요?”

“아, 실례합니다. 혹시 하석재 선생님 댁 맞는지요?”

“그렇긴 한데 어디서……?”

“인사가 늦었습니다. 저는 인터넷 뉴스 굿수원에서 근무하고 있는 기자 주상열이라고 합니다.”

상열이 재빨리 명함을 한 장 꺼내 공손하게 건넸다. 받아든 명함을 들여다보는 명자에게 그는 또박또박 덧붙였다.

“상심이 굉장히 크실 거라고 생각합니다. 이 시대에도 만연한 갑의 횡포를 접하고 저 역시 기자이기 이전에 한 인간으로서 몹시 분개했습니다.”

명자의 표정이 착잡한 빛을 띠어갔다.

석재의 사고로부터 며칠이 지났지만 그녀의 심적 고통은 하루하루 가중되고 있었다.

"도대체 선생님께서 뭘 잘못하셨단 말입니까? 정시에 지침대로 문을 잠그셨을 뿐인데 그걸 갖고 사람을 때려요? 그래 놓고서 모르는 일이라고 발뺌이나 하고 있고. 맞은 사람은 있는데 때린 사람이 없다니. 이건 말이 안 되는 일입니다."

기어코 명자가 눈시울을 붉히고 말았다.

상열은 열띤 목소리를 누그러뜨리고 진중하게 부탁했다.

"기자의 사명감이 절 이곳으로 오게 만들었습니다. 지치고 힘드시겠지만 부디 시간 좀 내주십시오. 더 많은 사람이 이 기막힌 일을 접하고 나아가 진실이 파헤쳐질 때까지 최선을 다하겠습니다."

"하지만 지금, 그 양반이 많이 힘들어해서……."

"오랜 시간 실례하지 않겠습니다. 30분, 아니, 15분이라도 좋습니다."

상열은 기자답게 간단히 포기하지 않았다.

바로 그때, 그의 등 뒤에서 굳건한 대문이 천천히 열렸다.

"오늘은 어렵겠습니다."

"……?!"

뒤를 돌아본 상열이 두 눈을 한껏 치켜떴다. 눈앞에 나타난 남자의 얼굴이 몹시 낯익었기 때문이었다. 수도 없이 많은 사람을 만나는 게 일이지만 그는 금세 상대를 기억해 냈다.

"호, 혹시 하재건 작가님 아니십니까?"

상열이 놀란 얼굴로 더듬더듬 물었다. TV와 인터넷을 통해 여러 번 얼굴을 봤고 책도 여러 권 읽었기에 똑똑히 기억하고 있었다.

"맞으시죠? 하재건 작가님, 아니, 선생님 맞으시죠?"

"그렇습니다."

상열은 입을 반쯤 벌린 채 말을 잇지 못했다.

수백만 권의 책을 팔아치우고 유수의 문학상을 휩쓴 작가다. 얼마 전의 백송예술대상에서 각본상을 수상한 이후부터는 국내에서 최고로 유명한 작가의 반열에 올랐다.

이제는 해외시장까지 손을 뻗고 있는 유명 작가를 이곳에서 만나게 될 줄이야.

상열은 경악과 희열로 온몸을 와들와들 떨고 있었다.

재건이 무표정한 얼굴로 말했다.

"아버지께서 몸이 편찮으십니다. 명함을 주시면 제가 가능한 날짜에 미리 연락을 드리겠습니다."

"아버님…… 이시라고요?"

상열은 혼란 속에서 멍청하게 되물었다.

멍해진 그의 머리가 퍼즐 조각을 맞추고 있었다. 갑의 횡포에 농락당한 피해자의 아들이 하재건이라니. 이건 보통 큰 그림이 아니다.

"그럼 오늘은 이만……."

"하, 하재건 선생님!"

상열이 명자를 데리고 들어가려는 재건을 다급히 붙잡았다.

"이 통탄할 사태에 대해 한 말씀이라도 부탁드립니다. 선생님의 동의 없이 기사로 내보내지 않겠습니다. 기자 생활 8년 동안 양심에 반하는 일은 하지 않았다고 자부합니다. 절 믿고 부디 짧게라도……."

"기사로 내보내셔도 됩니다."

재건이 상열의 말을 자르고 대답했다.

명자에게 한 손을 꼭 잡히고 선 그는 발등으로 시선을 내리깐 채 나직이 덧붙였다.

"한 아버지의 아들로서…… 그냥 넘어가진 않을 겁니다."

더 이상의 부연 설명은 필요하지 않았다.

재건을 잡은 명자의 손에 힘이 가득 들어갔다.

"그럼 들어가 보겠습니다."

"하, 하 선생님."

명자를 데리고 들어간 재건이 대문을 굳게 닫았다. 까치발로 선 상열이 문 너머로 소리치듯 말했다.

"연락 기다리고 있겠습니다, 선생님! 꼭 좀 부탁드리겠습니다!"

거기에 대한 대답은 돌아오지 않았다.

상열은 재건의 말을 속으로 곱씹으며 천천히 몸을 돌렸다. 놀라움이 가시지 않은 그의 표정은 여전히 멍하기 그지없었다.

69장
경비원이 아닙니다

[갑질 폭행 논란의 피해자 경비원, 알고 보니 인기 작가 하재건의 아버지로 밝혀져]

[작가 하재건의 분노, '한 아버지의 아들로서 그냥 넘어가진 않을 것']

[하재건 과거 수상 소감 재조명, 부모님을 향한 깊은 사랑이 물씬]

[하재건의 오랜 친구 박모 씨 통화 인터뷰, '대학 시절부터 가족애 남달랐던 친구']

[배우 박도준 트위터, '재건아, 네 곁에는 나도 있다'. 네티즌들의 폭발적인 리트윗]

[MPC그룹 회장 정우혁, '고성은 오갔으나 폭행은 단연코 없었다, 죄가 있다면 달게 받을 것']

"이게 다 뭐야……?!"

MPC그룹 본사의 회장실.

우혁은 붉으락푸르락한 얼굴로 인터넷 뉴스를 접하고 있었다. 난데없는 재건의 등장으로 폭행 논란 사태가 새로운 국면에 접어든 것이다.

"이 자식이 뭐라고 이렇게 시끄러워? 그냥 글쟁이 나부랭이 아니야?"

"그게, 회장님…… 쉽게 넘길 사안은 아닌 것 같습니다."

두 손을 모으고 선 김 실장이 우물쭈물하며 입을 열었다.

우혁이 두 눈을 흘기자 그는 고개를 조아리면서도 말을 계속했다.

"뉴스에서 보셨겠지만 하재건은 인기가 굉장한 작가입니다. 인기 배우 박도준과도 친구 사이라서 애독자 외에도 좋아하는 팬이 상당히 많습니다. 여론몰이를 하게 될 경우 회사가 피해를 입게 될지도 모릅니다."

"결론만 말해! 뭐야?!"

"그, 그러니까…… 제 짧은 소견으로는 만나셔서 원만한 합의를 이끌어 낼 수 있도록 하시는 편이 좋겠다는 그런……."

"원만한 합의? 할 만큼 했잖아? 자네가 전화 넣고 몇 번 찾아가지 않았어?"

"제 말씀은 그러니까 좀 더 빠른 수습을 위해서 회장님께서 직접 진정성을 보이시는 편이…….”

우혁이 등받이에 몸을 기대며 김 실장을 뚫어져라 노려보았다. 이윽고 그는 어이없다는 듯이 고개를 갸웃거리며 헛웃음을 터뜨렸다.

“김 실장, 자네 뭐 잘못 먹었나?”

“아닙니다, 회장님.”

“그런데 왜 헛소리를 지껄여? 이 내가 직접 찾아가서 그 늙은이에게 사과를 해? 원만한 합의를 해달라고 두 손 모아 싹싹 빌라는 건가?”

“그, 그런 의미는 절대 아니었…… 억!”

김 실장이 외마디 비명을 지르며 명치 밑을 두 손으로 감쌌다.

그를 가격한 골프공이 바닥으로 떨어져 또르르 굴렀다.

“말 잘 해. 다음엔 이거야.”

우혁이 유리 재떨이를 손에 들고 흔들어 보였다.

김 실장은 침음으로 대답을 대신하며 미친 듯이 고개를 끄덕였다.

“안 그래도 복장 터져 죽겠는데 불 받은 데다 기름을 부어? 김 실장 요즘 정신 못 차리지? 골프채 맛본 지가 오래돼서 감을 잃었어? 어?”

자리에서 일어선 우혁이 사무실 구석으로 걸음을 옮겼다.

그가 골프채를 뽑아 들고 붕붕 휘두르자 김 실장은 공포로 얼굴이 새하얗게 질렸다.

"말해봐, 김 실장. 죄가 있어야 사과를 하는 거 아닌가?"

"그, 그렇습니다, 회장님."

우혁이 골프채 끝으로 김 실장의 이마를 툭툭 치며 연달아 물었다.

"내가 죄가 있나? 아님 증거가 있나?"

"아무것도 없습니다. 죄도 없으시고 증거도 없으십니다. 제 생각이 짧았습니다. 부디 용서해 주십시오, 회장님."

김 실장이 허리를 90도로 거듭 숙이며 잘못을 빌었다. 짜증이 얼마간 누그러진 우혁은 골프채를 내던지더니 혀를 끌끌 찼다.

"유명해 봤자 제깟 게 글쟁이지 무슨. 그런 놈 하나 무서워서 원만한 합의를 이끌어 내? 내가 어디 동네 편의점 사장이야? 여론몰이? 쫄릴 거 하나도 없으니까 해볼 테면 해보라 그래!"

우혁이 허공에 대고 고함을 내질렀다.

바로 그 직후.

김 실장은 주머니에서 시작된 진동을 느끼고 주섬주섬 핸드폰을 꺼내 들었다.

"여보세요. 어, 뭐라고……?!"

김 실장이 사색이 되어 우혁을 힐끗 쳐다보았다. 뒤이어 핸드폰을 손으로 막고는 떨리는 목소리로 말했다.

"회, 회장님…… 지금 저기……."

"또 뭔데 그렇게 벌벌 떨어?"

"다름이 아니라 그, 남규호 이사가 회장님을 뵙겠다고……."

우혁이 두 눈을 부릅뜬 채로 석상처럼 굳었다. 남규호라는 이름에 이사라면 그가 알기로는 세상천지에 단 한 사람밖에 없었다.

"남규호가……? 갑자기 날 왜……?!"

"저도 모르겠습니다. 지금 이미 와 계신답니다."

"여, 여기에 와 있다고?!"

우혁의 한쪽 다리가 저도 모르게 풀썩 꺾였다. 심복 앞에서 허세를 부리는 것조차 용납이 안 되는 상대였다. 명색이 대기업 회장인 자신에게 사전 연락도 없이 다짜고짜 찾아와 만나자고 요구할 수 있는 사람인 것이다.

'그냥 찾아왔을 리가 없는데!'

도대체 이번엔 무슨 일일까.

뒤가 켕기는 일이 한두 가지가 아닌 데다 약점을 잡힌 부분도 부지기수여서 우혁은 도통 감을 잡을 수가 없었다.

"어떻게 할까요, 회장님?"

"뭐, 뭘 어떻게 해? 일단 이곳으로 모셔."

김 실장이 나간 동안 우혁은 허둥지둥 옷매무새를 정리했다.

몇 분이 채 지나지 않아 문을 두드리는 소리가 울렸다.

"드, 들어오십시오."

겁에 질린 우혁의 목소리는 스스로 듣기에도 한심스럽기 짝이 없었다. 곧바로 문이 활짝 열리며 회색 슈트를 입은 훤칠한 사내가 안으로 들어섰다.

"오랜만에 뵙습니다, 정 회장님."

"아, 아이구. 어서 오십시오."

우혁이 실실거리며 저자세로 사내를 맞아들였다.

사내는 물론 규호였다. 냉랭한 두 눈을 유리처럼 빛내며 입가엔 한 줄기 미소를 그리고 있었다.

"이쪽으로 앉으시지요. 회장님께서는 별고 없으십니까?"

우혁이 안부를 물은 회장은 규호의 아버지를 일컬었다.

회장이라고 다 같은 회장이 아니었다. 편의점 대 백화점을 예로 들어야 할 만큼 규호의 아버지와 우혁은 급 자체가 달랐다.

"건강하십니다."

규호가 소파에 앉으며 짤막하게 대꾸했다.

노크 소리와 함께 여비서가 커피 두 잔을 쟁반에 받쳐 들어왔다. 그녀가 잔을 내려놓는 사이에 규호는 말했다.

"잠시 회장님과 둘이서만 대화를 나누고 싶습니다."

"그, 그렇게 하시지요. 김 실장, 나가 있게."

김 실장과 비서가 나가고 문이 닫혔다. 기다렸다는 듯이 아첨하려고 입을 열려는 우혁을 향해 규호는 손가락 하나를 세워 보이며 물었다.

"제가 아버지로부터 들었던 말들 중 가장 좋아하는 게 뭔지 아십니까?"

"어, 어떤……?"

"좋은 인간에게는 한없이 좋은 인간이 되어라. 마찬가지로 나쁜 인간에게는 세상 누구보다도 나쁜 인간이 되어줘라."

"……?!"

우혁이 타는 목으로 침을 꿀꺽 삼켰다.

이렇게 말머리를 꺼낸 규호가 두려웠다. 결코 우호적인 일로 방문한 건 아니라는 판단이 섰다.

"회장님께 하나만 여쭤보겠습니다."

"네, 네. 뭐든지 말씀하세요."

"때리셨습니까? 안 때리셨습니까?"

"……네?"

겁에 질렸으면서도 우혁은 순간 어안이 벙벙해졌다. 서서히 고개를 치켜든 규호와 그의 시선이 지척에서 부딪쳤다.

"호, 혹시…… 지금…… 그걸 말씀하시는 겁니까?"

"그거라니요? 때린 사람이 한둘이 아니신가 봅니다?"

"그, 그게 아니라 그러니까…… 그 경비원 말씀하시는 것이 맞는지……."

"경비원이 아닙니다."

"네?"

규호의 입가에서 미소가 완전히 지워졌다. 시선을 마주친 것만으로도 숨통이 막히는 우혁에게 그는 나직이 덧붙였다.

"내 장인어른이 되실 수도 있는 분입니다."

"……?!"

우혁은 규호가 농담을 하는 거라고 생각했다. 한낱 경비원이 장인어른이 될 수도 있는 사람이었다니. 그의 기준으로는 도무지 앞뒤가 맞지 않는 이야기였다.

"그분의 아드님이신 하재건 작가님은 저와 함께 일하고 계시는 분이고요."

"아, 아아……!"

"정말 안 때리셨습니까?"

"으으으……."

우혁은 침음을 흘리며 위아래 이를 딱딱 맞부딪쳤다.

자신이 때린 경비원과 규호 사이에 관한 의문은 나중 문제였다. 어쨌든 규호의 소중한 사람을 건드렸다. 유명 작가라는 그 아들마저도 관계가 있었던 것이다.

"그, 그게 말입니다. 남 이사님, 이게 어떻게 된 일이냐면……."

"됐습니다."

규호가 더 들을 것도 없다는 듯이 핸드폰을 꺼내 들었다. 인터넷에 접속한 그는 오래 걸리지 않아 속보 하나를 찾아냈다. 화면을 들이대자 우혁은 순간 호흡을 완전히 멈췄다.

[(1보)대기업 회장 경비원 폭행 블랙박스 영상 확보!]

"이, 이건……?!"

"찾느라 고생 좀 했습니다."

규호가 소파에서 일어나 서재로 다가갔다.

한동안 목록을 훑던 그는 우혁이 출간했던 자서전을 발견하고 웃는 얼굴로 뽑아 들었다.

"정 회장님 자서전을 여기서 또 보게 되네요. 참 잘 읽었습니다. 광고비 빼돌리시고 강매까지 열심히 하신 덕분에 꽤 팔렸었지요. 아무튼 이 글을 보고 회장님이 정말 좋은 사람이라는 걸 알 수 있었습니다."

"나, 남 이사님……!"

"제가 좋은 사람이 될지 나쁜 사람이 될지는 정 회장님께 달렸습니다. 이해가 되십니까?"

규호의 시선이 바닥에 널브러진 골프채로 향했다. 조금 전

우혁이 김 실장을 겁주려고 뽑아 들었다가 미처 치우지 못한 골프채였다.

규호는 그것을 집어 학질 걸린 사람처럼 벌벌 떠는 우혁의 두 손에 쥐어주었다.

"1분 드리겠습니다. 이걸 들고 저와 같이 가실지, 아니면 이곳에 남아 계실지 결정할 시간이요."

우혁으로서는 결코 거부할 수 없는 제안이었다. 서서히 무너지는 그의 앞에서 규호는 고 실장에게 전화를 걸고 있었다.

BIG LIFE

"죽을죄를 지었습니다……! 술을 마신 나머지 입이 열 개라도 변명할 길이 없는 잘못을 저지르고 말았습니다. 부디 한 번만 너그러이 용서해 주시길 바랍니다……!"

재건의 수원 본가 단독주택이었다. 처마의 조명이 불을 밝힌 어두운 현관 아래에서 우혁이 90도로 허리를 숙였다. 그의 앞에는 석재와 명자, 그리고 재인이 놀란 얼굴로 나란히 서 있었다.

'이게 어떻게 된 거야……?'

우혁의 등 뒤에 선 재건은 어안이 벙벙해진 채였다.

여태껏 뻔뻔하게 모르쇠로 일관했던 대기업 회장이 갑자

기 찾아와 잘못을 빌다니. 증거 영상이 만천하에 드러나긴 했지만 그 하나만으로는 이해되지 않는 일이었다.

문득 옆에 선 규호와 재건의 시선이 마주쳤다. 규호는 조금 멋쩍은 듯이 입을 꽉 다문 채 고갯짓을 해보였다. 재건은 그의 힘이 작용했다는 사실을 은연중에 깨달을 수 있었다.

“그, 그냥 용서를 구한다는 게 아닙니다. 사죄의 의미로 선생님께서 충분히 만족하실 수 있을 만큼을 해드리겠습니다.”

“그쪽 돈 같은 건 필요 없어요!”

명자가 분개한 얼굴로 소리쳤다.

이윽고 우혁이 두 손에 들고 있던 골프채를 석재에게 내밀었다.

석재는 받아 들 생각 없이 멍하니 서 있었다. 우혁은 구태여 골프채를 쥐어주고는 발치에 엎드려 엉덩이를 높이 들었다.

“때, 때리십시오……! 저도 맞겠습니다……!”

우혁의 목소리만큼이나 한껏 치켜든 엉덩이도 위태롭게 흔들리고 있었다.

석재는 가만히 그 초라한 몰골을 내려다본 끝에, 한구석으로 골프채를 내던졌다.

“내가 당신과 똑같은 사람이라면 내 아들이 저리 잘 자라지는 못했겠지.”

이 말 한마디로 끝이었다.

체력이 부족한 우혁은 힘겹게 유지하고 있던 엎드린 자세를 흙바닥에 무너뜨렸다.

"아빠……."

재인이 석재의 팔을 꾹 잡으며 규호에게로 시선을 옮겼다.

규호는 시선을 의식하지 못한 채 이제 막 걸려온 전화를 받은 참이었다.

그가 어떤 사람인지 다시 보게 된 이 밤을 재인은 영원토록 잊을 수 없을 것 같았다.

"안녕하세요, 이사님."

"흠, 좋은 아침입니다."

휴게실로 나타난 규호가 한 손을 번쩍 들어 올리며 인사했다. 그 모습을 본 직원들은 고개를 갸웃거렸다. 항시 주머니에 손을 넣은 채 고개만 까닥거리는 것이 그의 인사법이었기 때문이다.

"커피를 한 잔 마셔야겠네, 흠."

규호는 하지 않던 혼잣말까지 뱉어가며 커피 메이커의 버튼을 눌렀다. 커피가 내려오는 잠깐 사이에 그는 세 번이나 팔을 들고 손목시계를 들여다보았다.

"합석해도 됩니까?"

규호는 주변에 널린 빈자리를 외면하고 기획 팀 직원들에게 다가와 물었다.

직원들은 당황스러워하면서도 엉거주춤 일어나며 권했다.

"네? 네, 그럼요. 이사님, 앉으세요."

"표정들이 왜 그러세요?"

"아니요, 그게…… 이사님은 보통 혼자 앉아서 드시거나 바로 사무실로 가시는 경우가 많으셔서……."

"앞으로는 원활한 커뮤니케이션을 위해서 여러분과 함께 하는 시간을 더 늘려볼 생각입니다."

그렇게 말을 받으면서도 규호는 또 손목을 들어 시계를 들여다보고 있었다. 아까부터 그 모습을 봤던 직원 하나가 넌지시 물었다.

"혹시 중요한 손님이라도……?"

"흐음? 아니요. 왜요?"

"아까부터 이사님께서 여러 번 시간을 확인하셔서요."

"뭐 그냥 시계가 잘 돌아가는지 보려고……."

대충 말을 얼버무리는 규호 앞에서 직원들은 하나같이 알쏭달쏭한 표정이었다.

바로 그때, 등 뒤로 나타난 수희가 쓱 들여다보고는 웃으며 말했다.

"못 보던 시계네요. 예뻐라."

"아, 이 시계요?"

규호가 반색하며 수희에게 팔을 들어 보였다. 입에서는 기다렸다는 듯이 대답이 튀어나왔다.

"선물 받았습니다, 하재건 작가님한테."

"하 작가님이요?"

수희가 모르는 척 되물었다. 실은 재건의 부탁을 받아 자신이 직접 고른 시계이기에 모를 까닭이 없었다.

"네, 뭐…… 저한테 이래저래 고맙다고 선물을 주시더라고요. 다행히 시계가 디자인도 나쁘지 않고 찰 만하네, 흠."

수희는 웃음이 터지려는 걸 꾹 참느라 이를 악물어야만 했다. 그녀가 보니 규호는 여간 자랑하고 싶은 것이 아닌지 아직도 손목시계를 이리저리 들여다보는 중이었다.

"하여튼 하 작가님도 참 뭐 이런 걸 다…… 흠, 그럼 먼저 일어섭니다."

"네, 이사님. 이따 뵙겠습니다."

목적을 달성한 규호는 자신의 커피를 들고 휴게실 밖으로 사라졌다.

그가 사라지자마자 직원들이 수희를 붙잡고 물었다.

"하 작가님이 왜 선물을 하셨대요?"

"남 이사님하고 사이가 좋아지신 거예요?"

수희는 싱긋 웃으며 모르겠다는 듯 고개를 갸웃거릴 뿐이었다. 커피를 타서 돌아온 그녀에게 한 직원이 지나가듯 말을 건넸다.

"건 그렇고 MPC는 난리가 났네요. 시총 300억이 날아가 버렸더라구요."

"그러게요. 가맹점주들이랑 투자자들만 불쌍해서 어떡해."

수희가 씁쓸한 표정으로 말을 받았다.

폭행당한 경비원이 재건의 아버지였다는 사실은 이미 전국에 쫙 퍼졌다. 재건과 함께 일하는 기획 팀 직원들은 당연히 더 관심을 가질 수밖에 없었다.

"폭행 영상 드러나고 나서 대국민 사과를 하면 뭔 소용이야? 개그하나?"

"하여간 있는 사람들이 더하다니깐."

"지분 매각하고 일선에서 물러난다는 말도 있던데? 루머겠지?"

대화의 주제가 자연스레 MPC그룹으로 흘러갔다. 수희는 어쩐지 듣고 있기가 거북했다. 말을 듣는 것만으로도 수척해진 재건의 얼굴이 떠올라서였다.

수희가 자리에서 일어서려는 순간.

"어? 이 사진 뭐야?!"

핸드폰을 들여다보고 있던 한 직원이 기겁해서 소리쳤다. 흥미를 느낀 직원들이 그의 옆으로 바싹 붙으며 물었다.

"무슨 사진인데 그래?"

"이거 하 작가님 아버님이랑 MPC그룹 회장 사진 아냐?!"

수희가 두 눈을 동그랗게 뜨고 다시 몸을 앉혔다. 직원이 핸드폰을 내밀어 사진을 보여주며 물었다.

"맞죠, 이 팀장님?"

"……?!"

사진을 보면서도 수희는 믿을 수가 없었다. 재건의 아버지 석재 앞에 우혁이 무릎을 꿇고 엎드린 사진이었다. 석재 옆으로는 명자와 재인이 서 있었다. 멀리서 찍은 사진인 듯 얼굴 윤곽이 흐릿했지만 수희는 바로 알아보았다.

"사진 또 있는데요? 여기선 MPC 회장이 엎드려뻗쳐를 하고 있네?"

"뭐, 진짜네? 와 이거 어디서 나온 사진이야?"

"언론사는 아니고 익명 사이트에서 올라왔나 본데? 지금 SNS 보니까 장난 아냐. 실시간 검색 1위 찍었네."

수희는 안색이 창백해져 자신의 핸드폰을 꺼내 들었다.

직원들의 말대로였다. 실시간 검색어 1위인 'MPC 회장 석고대죄'를 클릭하자 무수한 사진과 SNS 글들이 떠올랐다.

-도대체 뭐가 어떻게 된 거임? 이거 조작 아님? MPC 회장 정도 되는 사람이 저렇게 석고대죄 하는 게 말이 됨?

-두 번째 사진은 뭐 때려 달라는 건가????

–조작은 무슨. 딱 봐도 MPC 회장이구만.

–저거 외곽에 뒷모습만 찍힌 사람 체형은 정확히 하재건임. 내가 팬이라서 한 번에 구분 가능.

–이게 리얼이라면 하재건 대단하다, 진짜ㅋㅋㅋㅋㅋ MPC 회장마저 무릎 꿇고 사죄하게 만드는 위엄. 어얼ㅋㅋㅋㅋ

–하재건이 그렇게 대단함?? 하재건 무슨 집안임??? 정체가 뭐냐고?????

–와 진짜 소름;;;;; 하재건 작가님 위엄;;;; 저 오줌 싸버렸습니다;;;;;

–멍청한 새끼들아, 현실과 드라마 구분 안 감???? 이거 백퍼 조작임. 하재건이 아무리 잘나가는 작가라고 해도 MPC 회장 정도 되는 사람이 저렇게 엎드려 사죄한다는 게 말이 되냐???

–조작 아닌 것 같은데…….

사진 밑으로 수많은 네티즌의 의견이 줄을 이루고 있었다. 수희가 보고 있는 동안에도 수십 개의 멘션이 줄기차게 올라오는 판국이었다.

'어디 기자가 찍어서 흘린 건가? 뉴스로 바로 내보낼 수가 없어서?'

아무리 생각해도 그것밖에 짚이는 바가 없었다. 몹시 걱정이 된 수희는 즉시 바깥으로 나와 재건에게 전화를 걸었다.

—어, 수희야.

“혹시 기사 봤어?”

—연우가 말해줘서 방금 봤지.

“대체 어떻게 된 거야?”

—나도 모르겠다. 주상열이라고 지역 뉴스 기자가 한 번 찾아온 적 있었는데, 그 사람이 몰래 찍은 건가.

걱정한 것만큼 재건의 목소리가 어둡지는 않았다. 수희는 조금 안도하면서 질문을 이었다.

“너는 어때? 괜찮아?”

—음, 뭐 조금 놀라긴 했는데 상관없어.

“다행이다……. 그래, 신경 쓰지 마. 지금은 뭐 하고 있어?”

—간만에 사무실 나와서 글 쓰고 있지. 이따 저녁에 보자.

“응, 알겠어. 그럼 수고해, 재건아.”

BIG LIFE

뚝!

전화를 끊은 재건은 한숨을 내쉬었다.

옆자리의 연우는 여전히 경악한 표정으로 모니터의 사진을 뚫어져라 들여다보고 있었다.

“재건이 형, 이거…… 진짜 맞아요?”

연우가 침을 한 번 꼴깍 삼키고는 몹시 궁금하다는 표정으로 대답을 기다렸다.

재건은 씁쓸히 웃으며 자리에서 일어섰다.

"미안한데 묻지 말아줬으면 좋겠다."

"네, 형……. 죄송해요."

"죄송할 건 없고. 아침 안 먹었지? 좀 늦었지만 밥 먹으러 나가자."

"바로 나가시죠. 설렁탕 먹을까요?"

거리로 나선 두 사람은 식당을 향해 나란히 걸었다.

재건은 길바닥으로 시선을 내리깐 채 생각에 잠겨 있었다. 그 모습을 보는 연우는 내심 걱정이 됐지만 먼저 나서서 물을 수가 없었다.

식당에 자리를 잡고 나서도 침묵은 계속되었다. 주문할 때를 제외하고 재건은 단 한 마디의 말조차 없었다. 기어코 두 사람은 아무런 대화도 없이 식사를 끝마쳤다.

'아, 더부룩해.'

연우가 찡그린 얼굴로 배를 쓰다듬었다. 재건과 이렇게 조용히 밥을 먹은 적은 처음이었다. 신경이 쓰인 까닭에 소화가 제대로 되지 않는 느낌이었다.

"잘 먹었습니다, 형."

"연우야, 우리 좀 걸을까?"

식당에서 나온 재건이 평소 잘 가지 않는 호젓한 길목을 가리키며 제안했다.

연우는 두말없이 웃으며 고개를 끄덕였다.

“저도 속이 좀 더부룩해서 걷고 싶었어요.”

“나 때문인 것 같아서 미안하다.”

“아니에요, 형. 제가 급하게 먹어서 그래요.”

도서관 쪽으로 연결된 길은 인적이 드물었다. 바람에 흔들리는 가로수를 보면서 재건이 나직이 입술을 뗐다.

“형이 생각이 좀 많아서 그래. 이해해.”

“그러실 수밖에 없죠. 당연한 말씀 마세요.”

연우가 분개한 얼굴로 허공에 대고 주먹을 꽉 쥐어 보였다.

“아오, 진짜. 회장이든 뭐든 내 앞에 있었으면 입에 당면을 넣고 순대를 만들어버리는 건데. 감히 재건이 형 아버님을 건드려?!”

재건은 피식 웃고는 허공을 향해 고개를 들었다.

한없이 푸르고 평화로운 하늘이 두 눈 가득히 담겼다. 이 세상도 저렇게 평화로웠으면 좋을 텐데.

바로 그때.

지척의 소음이 잠시나마 찾아온 재건의 평화를 깨뜨렸다.

70장
차기작은 의외로

“이런 씨발! 차 못 지나가게 리어카를 왜 여기다 대놔!”

창문을 내린 운전자가 피둥피둥한 얼굴을 내밀고 소리쳤다.

끽해야 마흔 살 전후일까. 차는 한눈에도 고가임을 알 수 있는 외제차였다.

그의 앞 길목을 허름한 리어카가 살짝 막아서고 있었다.

“아, 아이구. 미안합니다. 30초면 끝나는 거라서, 그사이에 차가 들어올 줄 몰랐네요.”

품 안 가득 폐지를 끌어안은 노인이 황망히 사과했다. 리어카를 뒤로 빼려면 손이 비어야 하기에 노인은 우선 폐지부터 내려놓았다.

"아, 빨리 빼라고, 좀!"

"네, 네. 미안해요. 이걸 내려놔야……."

"아 놔, 씨발 진짜. 온종일 좆같은 일만 생기네, 캬악! 퉤!"

운전자가 욕설 끝에 리어카 옆으로 침을 뱉었다. 왜소한 노인은 아무런 항의도 못 하고 리어카를 뒤로 뺐다. 그러자 가려져서 보이지 않았던 '일방통행' 문구가 재건의 두 눈에 확연히 들어왔다.

"재, 재건이 형?"

재건이 성큼성큼 리어카 쪽으로 걸어갔다. 노인을 도와 리어카를 밀어주면서 그는 일부러 들리도록 말했다.

"너무 속상해하시지 마세요, 어르신. 요즘 세상엔 이렇게 재활용조차 안 되는 쓰레기가 너무 많거든요."

운전석에 앉은 사내의 눈빛이 변했다. 바보가 아니고서야 재건의 말뜻을 알아듣지 못할 리 없었다. 그는 '이것 봐라?' 하는 표정으로 헛웃음을 터뜨리더니 차에서 내려섰다.

"당신 지금 뭐라 그랬어? 나보고 쓰레기라고 한 거야?"

재건이 리어카에서 손을 놓고 돌아섰다. 달려온 연우가 대신 리어카를 밀어주는 사이 그는 담담히 대꾸했다.

"바로 알아들으시네."

"너 몇 살이나 먹었냐?"

"어르신 앞에서 욕지거리 퍼붓는 사람에게 들을 만한 질문은 아니라고 생각하는데. 그리고 이거 안 보이시나?"

재건의 손가락이 바닥의 '일방통행' 글귀를 가리켰다. 그의 손가락은 다시 사내의 차 앞 범퍼로 옮겨가고 있었다. 붉게 달아오른 운전자의 얼굴이 점점 더 신랄하게 노기를 띠어갔다.

"니미 오지랖은……! 남의 일에 참견하지 말고 너 가던 길이나 알아서 잘 가라고. 너 그렇게 나대다간 나중에 나이 먹고 저렇게 폐지나 줍는다. 먹고살려면 정신 똑바로 차리고 살아."

연우가 사나워진 눈매로 한 걸음 나섰다. 재건이 팔을 들어 그를 저지하면서 말을 이었다.

"잘 먹고살고 있으니까 당신이나 괜한 오지랖은 넣어둬."

"아 나, 진짜. 한마디도 안 지려고 하네. 내가 못해도 한 달에 5,000쯤 벌거든? 넌 얼마나 버냐?"

"나는 못해도 5억인데."

사내의 얼굴이 일순 멍해졌다. 5,000만 원을 번다는 자신의 허세를 상대방은 더욱 큰 허세로 누른 것이다.

"허 참, 이게 지금 나랑 말장난 까자는 거냐?! 아오!"

쾅!

사내가 화풀이로 리어카를 걷어찼다.

노인이 차곡차곡 쌓아놓은 종이 박스가 와르르 무너져 내렸다.

연우는 더 이상 참을 수가 없어서 사내의 가슴팍을 두 손으로 밀어냈다.

"어쭈, 지금 밀었냐?"

"나 형 앞에서 폭발하면 안 되거든? 제발 이대로 네 차 끌고 그냥 가라."

"이런 싸가지 없는 새끼가……!"

사내가 연우의 멱살을 잡았다. 연우도 물러서지 않고 멱살을 잡으며 맞섰다. 자칫하면 큰 싸움으로 번질 위기 속에서 재건은 핸드폰을 들었다.

바로 그때 구원처럼 먼발치로 경찰들이 나타났다.

"지금 뭣들 하시는 거예요?!"

부랴부랴 달려온 경찰들 앞에서 사내가 오히려 목소리를 높였다.

도저히 말이 통하지 않아 결국은 모두가 인근의 파출소로 가게 됐다.

"아저씨가 잘못하셨네. 왜 일방통행인데 들어가서 그 난리법석을 피워요?"

"아, 바빴다고 몇 번을 말해요?! 까짓것 벌금 내면 될 거 아냐? 저 리어카랑 폐지 값도 줄게. 한 50만 원 주면 되나?

내 참, 더러워서!"

바로 그때, 재건의 신분증을 확인한 젊은 경장이 두 눈을 한껏 치켜떴다. 자리에 앉은 재건과 신분증의 사진을 몇 번이나 번갈아 본 끝에 그는 자리에서 벌떡 일어섰다.

"하재건 선생님 아니십니까!"

경장의 외침에 모두의 시선이 재건에게로 쏠렸다.

나이 지긋한 파출소장은 눈짓으로 '하재건이 누구야?'라는 질문을 건네고 있었다.

"바다가 있었다 영화 보셨잖아요. 그거 원작 소설 쓰신 하재건 작가님이세요. 백송예술대상에서 각본상도 수상하셨고요."

경장이 들뜬 목소리로 신이 나서 말했다. 소장도 몹시 반가워하는 표정으로 육중한 몸을 일으켰다.

"아아, 그래? 아, 하재건 선생님. 정말 재미있게 잘 보았습니다. 작품이 참 좋더라고요. 제 아내와 딸아이도 선생님 소설을 무척 좋아합니다."

"격려 말씀 감사합니다."

재건이 웃으며 말을 받았다.

이렇게 되자 어리둥절한 건 운전자뿐이었다.

곧이어 그의 얼굴도 새하얗게 질려갔다. TV에서 재건을 본 기억이 비로소 났던 것이다.

'이런 씨발…… 허, 허세가 아니었어……!'

사내는 새빨개진 얼굴로 두 눈을 내리깔고 숨을 죽였다. 맞은편의 재건이 자신을 쳐다보고 있었던 것이다.

'고맙다고 해야 하나.'

몸을 부들부들 떠는 사내를 바라보며 재건은 속으로 생각했다. 아버지의 일로 혼란을 겪고 있던 와중에 또 한 번 갑의 횡포를 겪고 난 이제는 나아가야 할 길이 한층 명확해졌다.

이후의 과정은 순탄하고 간단하게 종결되었다. 사건의 주범인 사내는 고개를 숙인 채 말이 없었다. 말 잘 듣는 아이처럼 경찰에게 '네네' 하고 대답하면서도 재건에게는 눈길 한 번 던지질 못했다.

"바쁘실 텐데 정말 죄송했습니다."

"아니, 아닙니다. 민중의 지팡이가 해야 할 일이 당연히 이런 것 아니겠습니까. 안녕히 들어가세요, 선생님."

재건과 연우가 먼저 파출소를 나섰다.

작가 사무실 쪽으로 걸음을 내디디며 연우는 말을 꺼냈다.

"기분 푸세요, 형."

"아무렇지도 않아. 네가 같이 있어서 다행이었어."

"저런 사람은 어딜 가나 꼭 있어요. 지가 아는 것만 세상 전부고 항상 남들 얕잡아 보는 놈들. 알고 보니 상대가 자기보다 대단한 사람이면 그때부터 180도 돌변하구요."

연우는 좋지 않은 기억이라도 떠오른 것처럼 이맛살을 찌푸리고 있었다.

"형이 어떤 사람인지 알고 나니까 기죽고 쪽팔려서 고개 한 번 못 드는 거 봐요. 저런 자식이 사람을 평가하는 척도는 돈밖에 없을 걸요?"

재건은 쓰게 웃으며 눈앞의 세상을 바라보았다. 시장 한복판을 지나면서 매일같이 보아오던 풍경이 새삼스러웠다.

곁길에는 할머니가 쪼그려 앉아 채소를 팔고 있고, 그 앞을 지나치는 사내는 커다란 가방에 가득한 찹쌀떡을 팔러 돌아다니는 중이었다.

"……이렇게 열심히 사는 사람들을 왜 건드리지."

"형? 지금 뭐라고 하셨어요?"

"아니, 아무것도. 가자."

빨라진 걸음으로 사무실에 돌아온 재건은 리카를 무릎에 둔 채로 생각에 잠겼다. 어떤 주제로 차기작을 쓰고 싶은지는 파출소에서 결정을 내렸다. 이제 등장인물과 줄거리를 구상할 때가 왔다.

'피카레스크도 나쁘지 않겠는데.'

재건의 마음은 동일한 인물과 배경을 사용하면서도 각각의 이야기가 독립적으로 존재하는 피카레스크식 구성 쪽으로 기울고 있었다.

'시장도 배경으로 괜찮아. 같은 공간 속에서 서로 다른 인물을 통해 이야기를 풀어가는 단편집…….'

연우와 돌아오면서 보았던 시장 풍경이 뇌리에 그려졌다.

복닥거리는 그 시장을 배경으로 첫 번째 단편의 주인공은 채소 파는 할머니, 두 번째 주인공은 찹쌀떡 상인, 세 번째 주인공은 택배원 등등으로 삼으면 어떨까.

"야옹."

리카가 울음소리를 내며 재건의 가슴을 꾹꾹 눌렀다.

잠깐 동안의 상념에서 깨어난 재건이 자리에서 일어섰다.

"연우야, 나 방에 좀 들어가 있을게. 안 나오면 부르지 말고 점심 먼저 먹어."

"네, 형."

연우는 방으로 들어가는 재건의 뒷모습을 게슴츠레한 눈길로 바라보았다. 방으로 들어가는 건 소설을 구상하거나 혹은 다른 사람의 글을 읽을 때뿐인데 어느 쪽일까.

'메모장을 챙기신 걸 보니 구상하시려는 것 같은데. 오스카의 던전 스토리가 막히셨나? 아니면 차기작?'

정오가 훌쩍 지나도록 재건은 방에서 나오지 않았다. 얼마 후에는 다른 작가들이 각자 볼일을 보고 돌아왔다. 연우는 그들과 함께 늦은 점심을 먹고 자신의 자리에서 글을 썼다.

'다들 열심히 쓰는데…… 난 왜 이렇게 안 되지.'

연우가 뻐근해진 뒷목을 주무르며 자책했다.

그의 시선은 재건이 들어간 방문, 등 뒤의 민호와 은영, 그리고 현경에게로 차례차례 옮겨갔다. 지금 이 순간에도 모두 자신의 글을 열심히 쓰고 있었다.

'이러다가 차기작도 망하는 거 아닌가 모르겠네.'

아직 가칭인 차기작 '나는 반박한다'의 원고 작업이 3권부터 지지부진이었다.

벌써 꽤나 시일이 지나 버렸다. 재건의 호의가 없었다면 진즉 생활비를 벌기 위해 사무실을 떠나야 했을 터였다.

'아, 큰일이네. 3권부터 어떻게 전개해야 할지 모르겠어.'

연우가 천장을 올려다보며 자학을 잇는 사이.

쓰던 글을 멈추고 뒤를 돌아본 은영이 의아스러운 눈길로 물었다.

"연우 어디 아퍼?"

"아니요. 그냥 스토리 생각 좀 하느라고요."

"잘 안 풀려? 배가 고파서 머리 회전이 안 되는 거야. 저녁 먹어야지."

"네, 재건이 형도 불러야겠어요."

연우가 방으로 가 문을 똑똑 두드렸다. 재건의 대답은 돌아오지 않았다. 다시 두드려도 반응이 없자 그는 중얼거렸다.

"주무시나. 오늘 저녁에 약속도 있다고 하셨는데."

들어오지 말라는 재건의 부탁이 있었지만 연우는 고민 끝에 문을 살며시 열었다.

열린 문 너머로 방 안을 본 순간, 연우는 경악으로 두 눈을 부릅떴다.

"……!"

'이, 이게 다 뭐야?!'

스스슥! 슥! 스슥! 스스스슥!

재건은 연우가 들어온 줄도 모르고 미친 듯이 만년필을 놀리고 있었다. 얼굴이 땀으로 흥건했다. 휘갈겨 쓴 문장으로 가득한 A4 용지가 한눈에도 수십 장이었다.

책상 끝으로 밀려난 종이 몇 장이 바닥으로 스르륵 떨어졌다. 연우는 그것을 주워 들고 내용을 들여다보았다.

한 경비원의 일상을 그린 단편소설의 초반부였다. 또 다른 종이에는 김밥을 파는 아내의 고된 일상이 빼곡하게 들어차 있었다.

"재건이 형, 이게 다 무슨 글이에요?"

"……으음? 언제 들어왔어?"

뒤늦게 고개를 든 재건이 퀭한 두 눈으로 물었다. 콧잔등 위로 한 방울의 땀이 흘러내리고 있었다.

"형, 이거 단편소설 아니에요?"

"아예 단편 형식으로 써보면 인물 조형이 잘될 것 같아서."

"이거 보니까 세 장 전부 주인공이 다르네요. 설마 지금 여기 널린 수십 장의 단편소설이 전부 다른 주인공이에요?"

"으음, 그렇지."

연우는 혀를 내두르기에 앞서 등골에 오한이 이는 것을 느꼈다. 한동안 잊고 살았다. 자신이 세상에서 가장 존경하는 작가는 원래 이런 사람이었다.

"어, 벌써 6시가 넘었어?"

연우가 나타난 덕에 시간을 확인한 재건이 허겁지겁 종이들을 챙겼다. 수희와의 저녁 약속에 늦지 않으려면 서둘러야 했다.

"하 작가님, 저녁 안 드시고 바로 가시려고요?"

"아, 작가님들 다 와 계셨네요. 제가 약속에 늦었어요. 죄송한데 저녁은 다음에 같이 하시죠. 고생들 하시고요. 연우도 건필해라."

재건이 리카를 안고 사무실을 나섰다. 연우는 그가 나가고 닫힌 문을 하염없이 바라보고 섰다.

어쩌면.

자신은 작가로 먹고살 팔자가 아닐지도 모르겠다는 생각

을 하면서.

BIG LIFE

“세상에…… 위험한 일이라도 생기면 어쩔 뻔했니? 그래서 별일 없이 파출소에서 나온 거야?”

“잘못한 게 없으니까.”

재건의 집에서 갖는 오붓한 저녁 식사였다. 수희가 먹기 좋게 발라낸 생선을 재건의 밥그릇에 놓아주었다. 자기는 먹지도 않고 계속 챙겨주는 그녀에게 재건이 넌지시 말했다.

“알아서 먹을 테니까 너나 잘 먹어. 대만 가기 전에.”

“…….”

수희가 입술을 앙다물고는 시선을 떨어뜨렸다.

안 좋은 일을 겪은 재건 앞에서 의식적으로 꺼려왔던 이야기가 이렇게 또 나오다니.

“나 가지 말까?”

“대만?”

“남 이사님도 언제든지 생각 바뀌면 얘기하라 그러시고, 너도 요즘 많이 힘들 땐데 내가 한국에 있는 편이…….”

재건이 탁자 위로 손을 뻗었다. 수희의 손가락에 깍지를 끼는 그의 얼굴은 웃고 있었다.

"난 괜찮으니까 다녀와. 입장 바꿔 생각해 보니까 그렇더라. 나라도 널 위해서 대만에 갔을 거야. 그냥 하는 소리 아니라 진심이야."

"……."

"네 말대로 오래 걸리는 것도 아니고 대만이 먼 곳도 아니잖아. 여차하면 내가 노트북 싸 들고 가도 되는 거고. 안 그래?"

지금까지 알아왔던 세월이 있다. 진취적으로 살아가는 수희의 성향이라면 누구보다도 잘 안다. 그래서 재건은 마음 편하게 일하고 돌아올 수 있도록 보내줄 생각이었다.

심지어 다른 일도 아니고 자신의 원작으로 만든 게임을 걱정해서 직접 나서려는 것 아닌가.

"그렇게 말해주니 고맙긴 하지만……."

"고마우면 잘해. 내 게임 대만에서 대박 나게. 얼른 먹어."

수희는 마지못해 젓가락을 들고 억지로 밥을 떠 넣었다. 입안의 밥알이 마치 모래처럼 서걱거렸다. 떠나야 할 날이 다가오니 비로소 실감이 났다.

한동안 재건의 얼굴을 볼 수 없게 된다니.

"설거지 내가 할 테니까 먼저 씻고 옷 갈아입어."

"그럼 부탁할게."

수희가 샤워하러 욕실로 향한 뒤 재건은 설거지를 했다.

마지막 접시의 물기를 털고 선반에 얹으니 때맞춰 재인으로부터 전화가 걸려왔다.

"어, 누나."

—저녁 먹었어?

"먹었지. 누나는?"

—나도 엄마랑 아빠랑 조금 전에 먹었어. 근데 바깥에 기자가 바글바글해. 그 사진 나간 것 때문에. 집 담벼락이 높아서 다행이지.

"아버지는 좀 어떠셔?"

—아주 좋아지셨어. 어머니랑 다시 바둑도 두시고, 정원 손질도 하시고 그러시네. 남 이사님만 괜찮다면 저녁 식사 한번 대접하고 싶다고 하셔.

"내가 기회 봐서 얘기해 볼게. 워낙 바쁜 양반이라……."

그렇게 말하며 몸을 빙글 돌린 순간, 재건은 주방과 거실의 경계선에 선 수희를 보고 온몸을 굳혔다. 핸드폰 너머에서 재인이 뭔가 말을 잇고 있었지만 제대로 들려오지도 않았다.

"누나, 내가 나중에 다시 전화할게."

—그래, 알았어.

전화를 끊은 재건이 입을 반쯤 벌리며 웃었다.

수희는 수줍음으로 한껏 달아오른 얼굴에 손으로 부채질을 해대는 중이었다.

"그걸 입은 거야?"
"네가 전부터 입어보라고 난리였잖아……."
샤워를 마친 수희는 도준이 중국에서 사 온 전통 복장 차림을 하고 있었다. 아름다운 몸매가 딱 맞는 옷을 통해 한층 도드라졌다. 허벅지까지 올라오는 옆트임은 눈을 뗄 수 없을 만큼 매혹적이었다.
"이상하지?"
"아니, 절대. 완전 예쁜데."
"거짓말. 역시 괜히 입었어. 이제 다 봤지? 벗는다?"
"벗기는 뭘 벗어."
"꺄악."
재건이 수희를 양손에 번쩍 들어 안았다.
리카는 계단을 밟아 올라가는 두 사람을 멀거니 올려다본 끝에 한구석으로 사라졌다.
곧이어 은은한 조명만을 남기고 1층 전체의 불이 꺼졌다.

BIG LIFE

[올 여름을 강타할 압도적인 스케일의 던전에 경배하라! 지금 다운로드하는 유저에게는 길드장의 인장 일괄 지급!]

'멋있다……!'

출근길의 지하철 플랫폼 앞에서 소미는 홀로 탄성을 내뱉었다.

모바일 게임 '오스카의 던전' 전면 광고였다. 광고판 거의 전면을 차지한 거대 드래곤을 향해 검과 방패로 무장한 금발의 오스카가 달려들고 있었다.

출시를 코앞에 두고 대대적인 광고가 시작된 것이다.

'어머, 내 웹툰도 적혀 있네?'

소미가 무릎을 굽히고 눈높이를 낮췄다. 광고판 아래쪽에 그녀가 그린 웹툰 안내도 기재되어 있었다. 뿌듯함으로 가슴이 벅차올랐다.

드르륵!

핸드폰이 울리며 태원의 전화가 걸려왔다. 소미는 광고판에 시선을 고정시킨 채 핸드폰을 귓가로 가져갔다.

"네, 대표님."

―정 대리님, 오늘 부천 사무실로 가세요. 장은영 작가님 삽화 보시면서 거기서 작업하시면 될 것 같아요.

"아아, 네. 알겠습니다. 그렇게 할게요."

―네, 저녁에 봐요.

"아, 대표님!"

질문할 것이 떠오른 소미가 황급히 말을 이었다.

"오스카의 던전 소설 중국어판은 언제부터 서비스돼요?"

—시간이 조금 걸려서요. 아마도 게임 출시일보다 일주일가량 더 늦어질 것 같아요. 그건 갑자기 왜요?

"지금 지하철 승강장인데 모바일 게임 광고가 있네요. 그냥 갑자기 궁금하기도 하고 기대도 돼서요."

전파 저편에서 태원이 상쾌한 웃음을 터뜨렸다.

—저도 두근거리고 그래요. 잘될 거라고 생각하면서도 흥행이라는 게 워낙 복불복이니까. 근데 잘 쓰시잖아요, 하 작가님. 마음 놓고 지켜봅시다.

"네, 대표님. 그럼 이따 저녁에 뵐게요."

전화를 끊고 난 소미는 핸드폰으로 인터넷에 접속했다. 하재건이라는 이름을 검색하자 뉴스가 줄줄이 쏟아져 내려왔다.

'오스카의 던전' 모바일 게임과 중국어판 소설에서부터 한창 촬영 중인 '겨자 목욕탕' 영화, 또 넥션에서 만들고 있는 게임, 나아가 미국에서 소리 없이 선전하고 있는 '바다가 있었다' 소설에 이르기까지 한두 가지 얘기가 아니었다.

'이렇게 뉴스로 보니까 더 대단하다, 우리 하 작가님.'

그간 재건이 얼마나 많은 글을 썼는지 한눈에 보이는 느낌이었다.

다방면에서 폭발하기 시작한 그의 콘텐츠가 과연 어디까

지 뻗어 나갈 수 있을까.

한 사람의 독자로서 무척이나 기대되는 부분이었다.

'사무실에 나오셨을까?'

재건과의 일로 생긴 상처는 회복이 더뎌서 아직도 완전히 아물지 않았다. 소미는 그 위로 붙여둔 반창고가 떨어지지 않도록 오직 일만 하면서 빠듯하게 지내오고 있었다.

'신경 쓰지 말아야지, 바보처럼 왜 이래.'

이윽고 기다리던 지하철이 도착했다.

소미를 태운 지하철은 다시금 작가 사무실을 향해 달리기 시작했다.

BIG LIFE

-하 선생님, 겨자 목욕탕 40만 부 돌파했습니다. 장르가 장르라서 그런지 판매 속도가 전작들에 비해 다소 낮은 편이긴 한데요. 사실 이것도 선생님 전작들이 워낙 대단했던 거지 아주 좋은 성적입니다.

"저도 그렇게 생각합니다. 전 되게 만족스러워요."

재건이 대답하며 열린 창문을 모조리 닫았다.

에어컨에서 흘러나오는 시원한 바람이 그 외엔 아무도 없는 사무실 안에 퍼지기 시작했다.

—영화 개봉되고 나면 또 한 번 판매량에 불붙을 겁니다. 아주 유능한 에이전트가 미국에서도 잘 준비하고 있으니 걱정하지 마시고요. 크노블이라는 출판사가 현재로서는 가장 유력합니다. 창립한 지 오래돼서 인지도도 높은 출판사예요. 그쪽에서 하 선생님 작품을 굉장히 긍정적으로 보고 있는 눈치랍니다.

"아아, 네. 크노블이요. 한번 검색해 볼게요."

—요즘 작업은 어떠십니까?

"한가한 편입니다. 오스카의 던전 말고는 특별히 쓰는 것도 없어서요."

재건은 차기작에 관해서는 일부러 언급하지 않았다. 언제 어떤 형태로 완성될지 확신이 없어서였다. 괜히 그 사실을 알려서 스스로를 부담에 빠뜨릴 필요는 없으리라. 비단 명석뿐만이 아니라 모두에게 비밀로 할 생각이었다.

오직 한 사람만을 제외하고.

—하하하, 많이 한가하시면 제가 일정을 잡아드릴까요? 요즘 문화관광부에서는 글로벌 웹 콘텐츠 페스티벌 초빙 건으로, 그리고 온갖 방송국과 대기업까지 하루에 수십 통씩 전화가 걸려옵니다. 하 선생님 모시고 싶어서요.

"말씀을 듣는 것만으로도 무섭습니다. 제가 몸이 열 개였으면, 아니, 이 저질 체력이라도 조금 보완이 된다면 이렇게까지 공포에 젖지는 않을 텐데요.”

재건도 너스레로 말을 받고는 명석과 함께 웃었다.

웃음 끝으로 명석의 목소리가 진중해졌다.

–하 선생님, 가능하면 여쭤보고 싶지 않았습니다만…… 요즘 댁은 편안하십니까?

석재의 폭행 사건에 관한 질문이라는 걸 모를 까닭이 없었다. 재건은 고갯짓을 하며 말을 받았다.

“네, 많이 괜찮아졌습니다. 걱정해 주셔서 감사합니다.”

–참으로 다행입니다. 식사 거르지 마시고 부디 기운 내셨으면 좋겠습니다.

재건은 얼마간 더 통화를 한 뒤 전화를 끊었다.

한껏 기지개를 켜는 참에 이번엔 규호로부터 메시지가 날아들었다.

-하재건 작가님, 남규홉니다. 오늘 시간 괜찮으시면 저녁 식사 어떠십니까. 업무에 관해 이것저것 드릴 말씀도 있어서요.

재건은 금세 손가락을 놀려 답장을 보냈다. 최근의 일도 있었고 해서 이번만큼은 응하지 않을 수가 없었다.

-오늘 괜찮습니다. 시간과 장소를 정해주시면 찾아뵙겠습니다.

-제가 7시쯤 직원을 보내서 모시겠습니다. 댁에 계십니까?

-아니요, 여기 부천 사무실입니다.

-알겠습니다. 그럼 저녁에 뵙겠습니다.

핸드폰을 내려놓은 재건이 키보드 위로 두 손을 가져갔다. 그리고 언제 완성될지 스스로도 알 수 없는 원고를 느긋하게 작성하기 시작했다. 세상에서 단 한 사람만이 정체를 알고 있는 차기작 단편집이었다.

30분쯤의 시간이 흐른 뒤.

삑삑삑삑.

현관에서 비밀번호를 입력하는 신호음이 울렸다. 재건은 재빨리 차기작 워드 파일을 저장한 다음 종료시켰다. 바로 직후 문이 열리며 소미가 사무실로 들어왔다.

"안녕하세요, 하 작가님."

"네, 소미 씨. 어서 와요."

재건이 웃는 얼굴로 인사를 받았다. 반바지를 입은 소미의 모습에서 여름의 향기가 물씬 풍겼다.

"그러고 보니 이사 가셨다면서요? 권 대표님께 들었는데."

"네, 전에 살던 원룸 많이 좁았잖아요. 하 작가님 덕분에 경기가 좋아져서 조금 넓은 집으로 이사했어요."

창틀에 앉아 있던 리카가 쪼르르 내려와 소미에게 다가갔다. 소미는 리카를 가슴에 안고 코와 코를 비볐다.

재건의 입가에 웃음이 번졌다. 껄끄러운 구석이 사라진 소미와의 관계가 다행스러웠다.

“오늘은 사무실로 나오신 걸 보니 장 작가님 삽화 때문이신가 보네요?”

“네, 맞아요. 아, 글구 오는 길에 봤는데 오스카의 던전 광고 보셨어요? 일러스트 엄청 멋있게 나왔더라고요.”

“저도 지하철 타고 오면서 봤어요. 근데 소미 씨가 그린 웹툰에 대한 얘기는 귀퉁이에 너무 작게 나와서 좀 실망스러웠어요.”

“에이, 그 정도면 충분해요. 그러고 보니 이수희 팀장님 무슨 일 있으세요? 웹툰 담당자가 다른 분으로 바뀌셨던데.”

소미가 자연스레 수희의 안부를 물었다.

재건은 빈 머그컵을 들고 커피 메이커 쪽으로 걸음을 옮기며 대답했다.

“대만 갔어요.”

“대만이요?”

“지사 설립 건 때문에요.”

“아아…… 네. 얼마나 있다가 돌아오신대요?”

“한 6개월 정도? 소미 씨도 커피 드실래요?”

"타 주시면 감사하죠."

바로 그때, 소미의 등 뒤로 문이 열리며 은영과 민호가 들어섰다. 두 사람 다 양손에 헌책을 가득 들고 있었다.

재건과 조금 더 얘기하고 싶었던 소미는 안타까운 마음을 누르고 인사를 건넸다.

"안녕하세요. 무슨 책을 그렇게 잔뜩 사셨어요?"

"신작에 필요한 자료를 이것저것 줍다 보니 이렇게 많네요."

"양 작가님이랑 이 작가님은 안 오세요?"

"책 좀 더 보고 들어오겠대요. 우리만 먼저 왔어요."

모두가 각자의 자리에서 작업을 시작했다. 소미는 재건과 수희의 사이가 어떻게 된 것인지 몹시 궁금했지만 물어볼 수는 없는 노릇이었다.

시간이 지나갔고 어느새 저녁이 되었다.

규호의 전화를 받은 재건은 쓰던 원고를 저장하고 노트북 전원을 껐다.

"그럼 약속이 있어서 저는 먼저 가 보겠습니다. 리카, 잘 좀 부탁드릴게요."

"네, 하 작가님. 안녕히 가세요."

소미는 재건이 떠나고 닫힌 문을 바라보며 씁쓸히 웃었다.

이제는 배웅해 줄 수가 없게 됐다. 옷매무새를 고쳐 주는 것도, 식사를 만들어주는 것도, 마감을 맞은 그를 위해 통조림을 해주는 것도 어렵게 됐다.

모든 것은 다른 사람의 몫이 되었으니까.

'내가 해드릴 수 있는 건 이것뿐이야.'

소미는 꿋꿋하게 마음을 다잡고 태블릿 펜을 잡았다.

'오스카의 던전' 웹툰 원고였다.

재건을 위해 해줄 수 있는 일의 전부였다.

기장

내 인맥이 최고군

"중국 쪽 일에 관한 대화가 주를 이룰 텐데, 겸사겸사 풍미가 살아나도록 중식으로 준비해 봤습니다."

문이 열린 엘리베이터 쪽으로 손짓을 해 보이며 규호가 말했다.

재건이 먼저 올라타면서 대답했다.

"중국 음식 좋아합니다. 이곳 참 오랜만이네요."

"이 식당 와보신 적 있으세요?"

"아니요, 63빌딩이요. 어릴 때 가족들과 와서 수족관 보고 밥 먹고 그랬던 적이 있어서요."

설명하는 재건의 두 눈이 허공 너머로 추억을 좇고 있었다.

규호는 희미하게 웃으며 살짝 삐뚤어진 슈트 자락을 고

쳤다.

엘리베이터가 빠른 속도로 상승하기 시작했다.

'귀가 멍하네…….'

초고속으로 57층에 도착한 엘리베이터가 다시 문을 열었다.

재건은 규호를 따라 식당으로 걸음을 내디뎠다. 천장을 장식한 꽃잎 문양의 호화로운 조명이 매끈한 대리석 바닥 위로 비치고 있었다. 어느 곳을 보아도 고급스러운 풍경이었다.

"어서 오십시오, 이사님."

'천리향'이란 글귀가 새겨진 안내데스크 앞에 조리사 제복을 입은 남자가 대기하고 있었다.

규호는 손을 내밀어 그와 악수를 나눴다.

"별고 없으셨어요?"

"덕분에 모두 순조롭습니다. 항상 신경 써주셔서 감사합니다."

인사를 주고받은 뒤 규호가 그에게 재건을 소개했다.

"이쪽은 오늘 제가 모신다고 말씀드렸던 하재건 선생님이십니다."

재건은 규호가 자신을 부르는 호칭을 작가님에서 선생님으로 바꾼 것에 내심 의아함을 느꼈다. 어느 쪽이든 아무런 상관은 없었지만.

"안녕하십니까, 하재건 선생님. 저는 천리향의 오너이자 모든 조리를 책임지고 있는 왕진생입니다. 저희 식당에 선생님을 모시게 되어 무척 영광스럽습니다. 감사합니다."

재건에게도 정중하게 인사를 마치고 난 진생은 룸까지 안내를 직접 도맡았다.

초록색의 불투명한 자동문을 열고 들어가는 2인실이었다. 은은한 조명과 암회색 벽돌의 인테리어가 눈을 편하게 했다. 한쪽 벽면은 완전히 유리창이었다. 초고층에서부터 내려다보이는 도심의 야경이 기가 막히게 아름다웠다.

"그럼 바로 준비해 드릴까요?"

"네, 부탁합니다."

진생이 물러가고 여직원이 차를 내왔다. 차의 그윽한 향취가 퍼지는 가운데 재건이 주변을 둘러보며 말했다.

"멋진 식당입니다. 가족들과 함께 오고 싶네요."

"다행입니다. 음식도 하 작…… 하 선생님 마음에 드실 겁니다."

규호가 말하던 도중 호칭을 재빨리 고쳤다.

재건은 내색하진 않았으나 점점 더 의문이 심해졌다.

뭔가 어려운 부탁이라도 하려는 것일까.

기본 찬과 주문한 술이 먼저 나왔다. 곧이어 새우 냉채가 나올 즈음 규호가 젓가락을 들며 말을 꺼냈다.

"이 시계 아주 좋습니다."

규호는 재건의 눈길이 자신의 손목시계에 와 닿길 기다렸다가 한마디를 추가로 덧붙였다.

"요즘 이것만 찹니다."

"마음에 든다고 해주시니 다행입니다."

규호가 이번엔 눈짓으로 재건의 손목시계를 쓱 가리키더니 물었다.

"하 선생님은 그 시계에 사연이라도 있으십니까? 보니까 항상 그 시계만 차시던데요."

"아아, 네."

재건이 조금은 겸연쩍은 웃음으로 고갯짓을 해 보였다.

"사무실 작가님들이 돈을 모아서 사주신 선물입니다. 당시 다들 조금씩 형편이 나아질 때였거든요. 저는 그다지 도움이 된 것도 없는데 고맙다면서 없는 돈을 모아 이런 걸 사주셨어요."

"역시 사연이 깃든 시계군요."

"네, 제겐 참 값진 시계죠. 고장만 안 나면 평생 찰 생각입니다."

규호가 손을 올려 넥타이를 느슨하게 풀었다. 그간 업무적으로만 만나왔던 재건의 인간적인 면모가 보이기 시작했다. 한 걸음, 두 걸음 좁아지는 간격이 느껴졌다.

그런 감각이 좋아서 그는 무심코 웃었다.

"한잔 받으시죠, 선생님."

"고맙습니다. 저도 한잔 드리겠습니다."

직원들이 코스 요리를 순서대로 날라 왔다.

두 사람은 맛있는 음식을 먹으면서 업무에 관한 대화를 나눴다. 출시가 코앞인 '오스카의 던전' 중국 현지 프로모션 계획, 서비스 방식, 나아가 '겨자 목욕탕' 모바일 게임의 테스트 일정에 이르기까지 다양한 화제가 테이블 위를 오갔다.

"……13억 5,000만 명이 사는 나라입니다. 시장의 크기가 한국과는 비교 자체가 되질 않아요. 그만큼 콘텐츠도 많으니 마케팅의 역할이 중요하죠. 따라서 제가 있는 겁니다."

규호는 시종일관 진지하면서도 자신감 넘치는 어조로 설명을 이어갔다. 그의 능숙한 언변에 재건은 벌써부터 중국에서 성공한 듯한 느낌마저 들었다. 무엇보다 이제는 규호가 말뿐인 남자가 아니라는 걸 확실히 알기에 한 마디 말도 허투루 들려오지 않았다.

"저 지금 선생님한테 생색내는 거 맞습니다. 그만큼 자신 있으니까 중국 쪽은 안심하고 맡겨두세요."

"지금껏 그래왔고 앞으로도 그럴 겁니다. 고맙습니다."

"긴 이야기 들어주시느라 애쓰셨습니다."

직원이 빈 접시를 치우고 새로 준비한 요리를 테이블에 내려놓았다.

술 한 모금을 마시고 난 규호는 창밖의 야경을 힐끗 쳐다보며 다른 화제를 꺼냈다.

"지금부터는 조금 다른 말씀을 하나 드릴 게 있습니다."

"네, 말씀하세요."

규호가 창밖을 향하던 시선을 재건에게로 돌렸다.

"틴센트 산하 틴센트 문학 런쉐 대표가 이번 달 하순쯤 한국에 옵니다. 광주에서 열리는 웹 콘텐츠 페스티벌 때문에요."

재건의 뇌리에 명석과의 통화 내용이 떠올랐다. 문화관광부에서 주최하는 행사라고 했던가.

"그 런쉐 대표가 닷새간의 일정 중 하루를 저와 만납니다. 예전부터 유지했던 개인적인 친분으로요. 그런데 그 자리에 하재건 선생님, 그리고 소설을 계약한 업체 담당자들을 함께 모셨으면 좋겠다고 하십니다."

뜻밖의 말을 들은 재건의 얼굴에 놀라움이 번졌다.

"무슨 용무로 저를……?"

"틴센트에서 서비스를 개시할 오스카의 던전 게임과 소설의 원작자시니까요. 뒤를 이어 출시될 겨자 목욕탕도 있고, 일을 떠나 즐거운 시간을 보내고 싶다고 하시더라고요. 하 선생님 소설을 전부 번역해서 읽으셨답니다. 완전 자기 취향이라나요.”

규호가 의자를 바싹 당겨 재건과의 거리를 좁혔다.

“전에도 지나가듯 말씀드렸지만 중국인과의 사업에서는 친목이란 요소를 간과할 수 없어요. 틴센트 문학의 중국 전자책 시장 점유율은 무려 50% 이상입니다. 저는 선생님의 인상을 그쪽에 각인시킬 수 있는 무척 좋은 기회라고 생각합니다. 그쪽에서 먼저 만나고 싶다는데 잘된 거죠.”

재건으로서는 하등 거절할 이유가 없는 제안이었다. 중국 최대 전자책 업체의 대표가 자신의 작품을 좋아하고 만나길 원하는 것이다. 득이 되면 됐지 해가 될 일은 없을 만남이리라.

“그렇게 하겠습니다.”

재건은 오래 걸리지 않아 대답했다. 군더더기 없는 미소는 규호의 성의에 감사하는 의미였다.

“틴센트 문학의 대표시면 세상을 보는 안목과 경험도 상당하실 텐데요. 게임을 서비스하는 넥션과 직접적인 관련이 있는 것도 아닌데, 이렇게 제게 보탬이 될 만한 자리를 주선해 주셔서 무척 감사드립니다.”

“아닙니다. 아무튼 잘 결정하셨습니다. 사업이란 것도 결국 사람과 사람이 만나서 이루어지는 거니까요. 그럼 소설은 웅성과 래프북스 쪽 소관이니 조만간 제가 연락을 넣겠습니다."

규호가 허리에서 힘을 빼고 편안하게 자세를 고쳤다. 오늘 해야 할 중요한 얘기는 이것으로 모두 끝났다. 느긋해진 분위기 속에서 그는 지나가듯 물었다.

"외람된 질문이지만 하 선생님은 연애하실 생각이 없으신가 봅니다?"

"네?"

재건이 황당해서 고개를 들고 쳐다봤다. 규호로부터 개인사에 관한 질문을 받은 건 이번이 처음이었다. 애초에 그가 아는 규호는 이런 사사로운 것을 물어볼 사람이 아니다.

"흠, 아니, 저는 그저…… 흠, 항상 열심히 집필만 하시고 그러셔서요. 그냥 갑자기 생각이 나서 여쭤봤습니다."

"하하, 네. 뭐…… 저는 누나가 먼저 시집을 가고 나서 천천히 생각해 보려고 합니다."

"아, 그래요?"

규호가 두 눈을 살며시 치켜뜨고 반색했다. 앞서 재건에게 던졌던 질문은 재인에 관한 말을 끌어내기 위한 포석이었다.

뒤이어 그는 알고 있으면서도 기억이 흐릿한 척 중얼거렸다.

"듣기로 원장님께서 선생님과 세 살 차이시라고……."

"네, 저보다 세 살 위죠."

"30대로는 전혀 안 보이시는데 말입니다."

"아무튼 조금 걱정되긴 합니다. 이제 더 나이 들기 전에 연애 좀 하고 살았으면 좋겠는데요. 누나의 의지에 달린 일이지만요."

규호는 짐짓 심각한 표정으로 고개를 끄덕이는 한편 속으로는 쾌재를 불렀다.

재건의 말을 해석하자면 재인은 오래도록 연애한 적이 없는 데다 지금도 혼자라는 의미가 된다.

아무튼 이 자리에서 더 물어볼 수는 없었다. 더 했다간 재건이 낌새를 알아챌지도 모른다. 그래서 다른 말로 화제를 마무리하는 규호였다.

"좋은 남자가 나타날 겁니다."

"고맙습니다. 한잔 받으세요, 이사님."

밤이 늦도록 즐거운 식사가 계속되었다. 규호가 처음으로 재건 앞에서 소리를 내어 웃기까지 한 날이었다.

BIG LIFE

"그럼 조심히 들어가세요, 이사님."

"네, 선생님. 그럼 이만 돌아가 보겠습니다."

규호를 태운 차가 순식간에 저 멀리로 사라졌다.

돌아선 재건은 혼자 지내기에 너무도 큰 자신의 집으로 들어섰다. 어두컴컴한 정원을 지나치고 있으려니 쓸쓸했다. 수희의 공백이 또렷하게 느껴졌다.

'사무실에서 리카를 데려올 걸 그랬나.'

재건은 뒤늦은 후회를 하며 문을 지나 거실로 올라섰다. 욕실로 향하는 동시에 옷을 벗는 도중 주머니 속에서 핸드폰이 울렸다. 명석의 전화였다.

"네, 편집장님."

–안녕하세요, 선생님. 저녁 드셨죠?

"먹고 들어오는 길입니다."

–다름이 아니라 틴센트에 대해서 말씀드릴 게 있어서요.

"틴센트요?"

재건이 옷을 벗다 말고 멈춰 섰다. 지금까지 몇 시간 내내 규호와 틴센트에 관한 이야기만 하고 돌아온 참이다. 그런데 이번엔 명석이 또 무슨 말을 하려는 걸까.

–틴센트가 게임과 전자책에 이어 최근에는 영화 제작까지 하게 됐어요. 그래서 얼마 전에 틴센트 픽처스가 설립됐는데 여기 대표님이 웹 콘텐츠 페스티벌 일정 중에 선생님을 뵙고 싶다고 연락이 왔어요.

"아…… 저를요?"

재건은 규호에게 그랬던 것처럼 똑같은 반문을 되풀이할

수밖에 없었다.

–정확히는 주연 배우 도준 씨까지요. 두 분께서 친구 사이시라는 걸 언론을 통해 알게 되셨대요. 그분이 틴센트그룹 전략 담당 부총재이기도 하거든요. 영화 바다가 있었다를 정말 감명 깊게 보셨다고 아주 극찬을 하시던데요.

“으음, 네.”

중국에서 개봉된 영화 ‘바다가 있었다’는 다행히 손익분기점을 넘겼다. 덕분에 도준이 중국에서의 인지도를 쌓는 데에도 꽤나 크게 기여한 작품으로 인정을 받았다.

–영화화된 하 선생님 작품들 국내 성적이 무척 좋았잖아요. 아마 이제 곧 만들어질 겨자 목욕탕 포함해서 이런저런 이야기를 해보고 싶으신가 봐요. 부담 없이 편안한 자리를 가져보자고 하시는데 의향이 어떠세요?

“저기, 편집장님. 대답을 드리기 전에 먼저 드릴 말씀이 있어요.”

재건은 규호를 통해 틴센트 문학 런쉐 대표와 만나기로 한 일을 소상히 설명했다.

말을 전부 듣고 난 명석은 뜻밖에도 꽤나 놀라워했다.

–남규호 이사님의 인맥이 남다르시네요. 런쉐 그분 총편집으로 있다가 최근 들어 신임 대표로 선임된 분이세요. 저희 웅성 쪽에서도 조만간 연락을 취할 예정이었는데 으

음…… 여하튼 이건 상당히 놀라운 일이네요.

항시 침착하기 이를 데 없던 명석이 침음마저 흘리고 있었다. 재건은 묘한 느낌이 들어 핸드폰을 고쳐 잡고 물었다.

"편집장님이 이렇게 놀라워하시는 거 처음 보는 것 같습니다. 이게 그렇게 놀라실 만한 일인가요?"

–이게 말이죠. 오해 마시고 들어주셨으면 합니다만…….

"뭐든지 괜찮으니 있는 그대로 말씀해 주세요."

재건이 거듭 부탁했다. 그럼에도 불구하고 명석이 말을 잇기까지는 상당한 공백을 필요로 했다.

–으음, 사실 중국 업체들은 어지간해서는 한국처럼 작가를 높이 평가해 주지 않아요. 원체 인구가 많은 나라이기 때문일까요. 철저히 작가와 작품을 돈으로만 보고 질보다는 양으로 시장을 제압한다는 경향이 한국에 비해 훨씬 강합니다.

명석은 목이 타는 듯 잠시 뜸을 들인 끝에 말을 이었다.

–물론 하 선생님은 한국에서 최상위권 반열에 오른 작가이십니다. 판매량도 압도적이고 문학성과 상업성에서도 인정을 받으셨고요. 틴센트 문학 입장에서 충분히 관심을 가질 수 있을 법한 해외 유명 작가이시기는 합니다만……. 제 소견으로는 런쉐 대표가 정말로 하 선생님 작품의 애독자인 게 아닐까 합니다. 그게 아니라면…….

명석이 망설이는 기색으로 말끝을 흐리고 있었다.

재건은 잦아드는 그의 말꼬리를 붙잡아 수면 위로 끌어올렸다.

“개인적인 친분이 있는 남 이사님의 부탁으로 만들어진 자리일 수도 있다는 말씀이시죠?”

–불쾌하셨다면 죄송합니다. 하지만 영화 쪽과는 확실히 분위기가 달라서요.

재건이 소리 없이 웃으며 고개를 가로저었다.

“절대 불쾌하지 않습니다. 저도 그간 중국의 비즈니스에 대해선 여러 이야기를 들었고요. 만약 남 이사님의 부탁으로 만들어진 자리라고 해도 관계없어요. 이러한 자리가 마련됐다는 자체가 중요하다고 생각합니다.”

–그렇게 받아들여 주시니 마음이 놓입니다. 우선 저도 남 이사님과 대화를 나눠봐야 될 것 같군요. 텐센트 문학과 텐센트 픽처스 양쪽 대표가 서로 이 건을 공유하고 있는지 여부도 알아봐야겠고 말입니다.

“그쪽으로는 잘 좀 부탁드리겠습니다.”

재건은 명석과 얼마간 더 대화를 나눈 후에 전화를 끊었다.

욕실로 들어서면서 그는 혀를 내둘렀다. 대기업의 후계자들은 과연 인맥의 규모부터 남다르다는 생각이 새삼스레 들어서였다.

‘언젠가 남 이사님이나 오 편집장님을 모델로 삼아서 기업

소설을 써도 재미있을 것 같은데.'

쏟아지는 물줄기 아래서 재건은 피식 웃음을 터뜨렸다.

돌이켜 보니 규호와 명석은 엄청난 선물이었다. 소설에 쓰려고 마음만 먹으면 언제든지 그들을 취재할 수 있다. 대기업의 후계자들을 상대로 이런 기회를 가질 작가가 세상에 몇이나 될까.

'아무리 생각해도 내 인맥이 최고군.'

샤워를 마친 재건은 편안한 잠에 빠져들었다.

꿈속에서 그는 푸른 하늘을 훨훨 날아다녔다. 발밑으로는 광활한 중국 영토가 끝없이 펼쳐져 있었다.

72장
비가 그쳤다

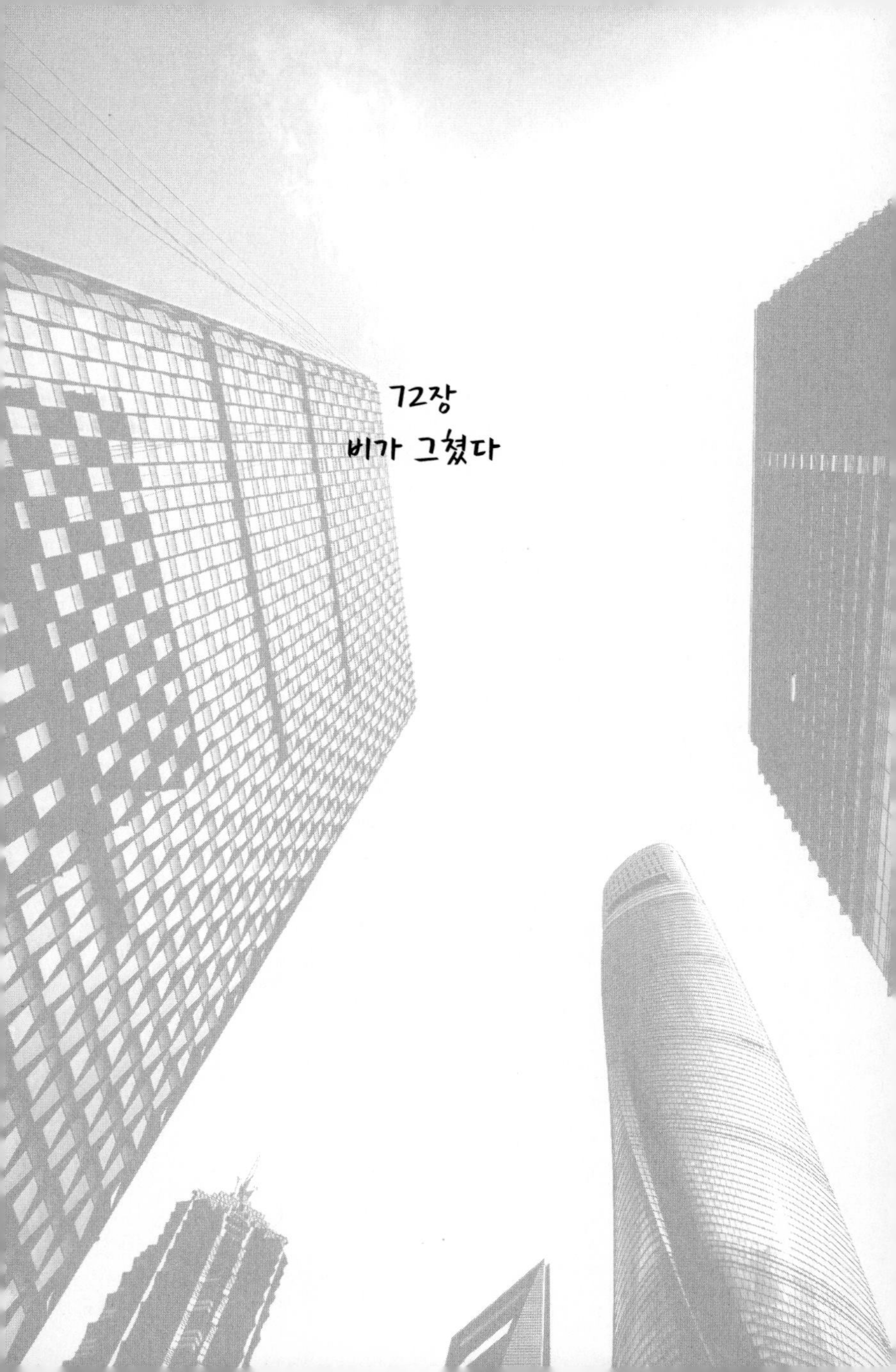

따악!

당구공이 경쾌한 소리와 함께 쭉 뻗어 나갔다.

새하얀 공이 세 군데의 벽에 몸을 부딪고 두 개의 붉은 공을 연이어 때렸다. 게임 끝이었다.

"뭐냐, 이건?"

도준이 믿을 수 없다는 듯 입을 떡하니 벌렸다.

"그사이에 글 안 쓰고 당구만 쳤냐? 왜 이렇게 늘었어?"

"당구비랑 밥값 전부 네가 내는 거다."

여유롭게 큐대를 거둬들이는 재건은 웃고 있었다.

평일 정오의 당구장은 텅 비어 있다시피 했다. 사람이라고는 재건과 도준, 그리고 카운터의 나이 지긋한 주인뿐이었다. 주인은 반백의 머리칼을 에어컨 바람에 휘날리며 꾸벅 꾸벅 졸고 있었다.

“아 놔, 은근히 열 받네. 재건아, 한 게임만 더 하자. 너도 이제부터 100은 놓고 쳐.”

“2시까지 스튜디오 가야 한다며. 밥 먹을 시간으로 1시간 쯤은 있어야지. 다음에 또 해.”

재건은 아쉬워하는 도준의 등을 억지로 떠밀어 당구장을 나섰다. 7월의 무더운 날씨가 그들을 휘감았다.

“뭐 먹을래?”

“아무 데나 에어컨 빵빵한 곳으로. 오늘 왜 이리 더워.”

“저기 삼계탕집 어때?”

“콜! 빨리 가자. 쪄 죽을 것 같다.”

매니저 태봉까지 불러 세 사람이 식당에 자리를 잡았다. 당구장과 달리 손님이 바글바글했다. 여름을 맞아 몸보신을 하려는 인근 직장인이 대다수였다.

“후우, 이제 좀 살 것 같네.”

냉수로 목을 축이고 난 도준이 선글라스를 벗었다. 그러자 지금까지 반신반의하던 주변 손님들의 반응이 한결 또렷해졌다.

“어머, 저기 박도준 아냐?”

“진짜? 맞는 거 같은데?”

"맞은편 사람도 낯익어."

"하재건 아냐? 바다가 있었다 작가."

"아, 맞다. 나 백송예술대상에서 수상 소감 봤어."

"둘이 컨셉 아니라 진짜 친한가 봐."

술렁임이 점차 모든 테이블로 확대되었다.

도준이 선글라스를 도로 쓰려는 시늉을 해 보였다. 재건은 쓴웃음을 지으며 그의 팔을 눌렀다.

"내 말대로 집에서 만날 걸 그랬지?"

"아냐, 어차피 너도 인터뷰하느라 이 근방이었고. 아, 태봉이 형. 내 MP3 줘봐. 재건이도 들려줘야지."

태봉이 MP3 플레이어를 가방에서 꺼내 내밀었다. 재건이 이어폰을 양쪽 귀에 꽂았다. 감미로운 피아노 선율 너머로 채린의 청아한 목소리가 흘러나왔다. 영화 '겨자 목욕탕' 주제곡이었다.

—이 고요한 곳에 내 어둔 마음이~ 살포시 놓아둔 네 기억과 함께~ 시간이 흘러도 사라지지 않는~ 전설 속의 마법처럼 고이 남아서~

재건은 두 눈을 감고서 채린의 노래를 들었다. 해가 저물어 가는 초저녁의 쓸쓸한 여름이 연상되는 노래였다. 절정에 다다를 즈음 재건은 아련한 감성으로 무심코 몸을 떨기까지 했다.

이윽고 노래가 끝났다. 이어폰을 빼는 재건에게 도준은 기다렸다는 듯이 물었다.

"어때?"

"좋다, 호러 영환데 음악은 아름답네. 가사도 좋고."

"난 가사가 너무 쉬운 것 같아서 좀 그런데."

"노랫말은 좀 쉬운 어휘를 써야 좋은 거 아닌가. 아무튼 이거 나도 보내줘."

"MP3 통째로 가져가. 유출되면 난리 나니까 조심해."

주문한 삼계탕 세 그릇이 나왔다. 펄펄 끓는 뚝배기에 소금을 넣으며 도준이 말을 이었다.

"뉴던 사무실 갔다가 윤태성 감독님 뵀는데 홍예슬 칭찬 엄청 하더라. 카메라 앞에만 서면 집중력 폭발한다고. 내가 봐도 느낌 있어, 걔."

"잘됐네."

재건이 숟가락을 들며 담담히 대꾸했다.

예슬을 생각하면 마음 한구석이 시큰거렸다.

빨리 유명해져서 자신의 엄마를 찾아야 할 텐데. 언제쯤 다시 만날 수 있게 될까.

"하재건, 멍하니 뭐하냐? 여기 후추."

"아, 고마워."

식사를 하면서 그간 쌓인 온갖 이야깃거리가 쏟아졌다. 백송예술대상 때의 일들을 떠들며 웃고, 서로의 힘겨웠던 근황을 물으며 위로를 나누다 보니 시간은 안타까울 정도로 빠르게 흘렀다.

식사를 마치고 후식으로 수정과가 나올 무렵.

"저기, 죄송한데요."

옆 테이블에서 식사하고 있던 여자들이 다가와 도준에게 말을 붙였다.

"저희랑 사진 좀 찍어주시면 안 될까요? 정말 팬이에요. 식사하시는데 방해하면 안 될 것 같아서 여태까지 기다리고 있었어요."

"네, 그러세요."

도준이 어깨를 한 차례 들썩이고는 흔쾌히 일어섰다. 여자들은 기뻐서 발을 구르며 그에게 모여들었다.

"정말 많이 밝아졌어요."

태봉이 웃는 낯으로 나직이 말했다. 두 눈은 창가 쪽에서 팬들과 포즈를 취하고 있는 도준을 응시하고 있었다.

"요즘은 혼자서 술 마시는 일도 거의 없고요. 사람들과 대화할 때도 자주 웃어요."

태봉의 시선이 재건에게로 느릿하게 옮겨왔다.

"하 작가님 덕분이라고 생각해요. 그래서 제가 참 감사합니다."

재건이 머쓱하게 웃으며 뒷머리를 긁적였다.

"도움받은 건 접니다. 항상 자신감 있게 행동해야 한다는 거, 도준이 보고 배웠거든요."

"앞으로도 계속 도준이랑 좋은 친구가 돼주셨으면 해요. 너무 낯간지러운 소린가, 하하하."

문득 재건의 등 뒤로 다른 테이블의 손님들이 다가와 섰다. 태봉은 우물쭈물 말을 걸지 못하는 그들을 보고는 재건에게 일러주었다.

"하재건 작가님, 뒤쪽이요."

돌아본 재건의 눈앞에 대학생으로 보이는 세 여자가 서 있었다. 그중 한 사람이 손에 든 책을 수줍게 내밀며 말했다.

"안녕하세요, 작가님. 겨자 목욕탕 정말 잘 읽었어요. 사인 좀 부탁드려도 될까요?"

"그럼요. 고맙습니다. 주세요."

책을 받아 든 재건이 사인을 하며 너스레를 덧붙였다.

"도준이 팬분들만 계실 줄 알았는데 감동스럽군요."

"아하하……! 저희 문학 동아리거든요. 다들 작가님 광팬이에요. 돌아가서 얘기해 주면 아마 발칵 뒤집힐 걸요? 귀찮다고 부실에서 자장면 시켜 먹은 거 땅을 치고 후회하겠죠."

"작가님, 저희랑 사진도 한 방만 찍어주세요."

재건은 기꺼이 그녀들과의 사진 촬영에도 응해주었다. 두 여학생이 재건의 양쪽에서 팔을 붙잡았고, 남은 한 사람은 재건의 양어깨를 잡으며 뒤에 섰다.

"찍습니다. 하나, 둘, 셋…… 김치!"

태봉이 신호와 함께 사진을 찍었다.

재건의 뒤에 서 있던 여학생이 아쉬운 기색으로 부탁했다.

"저 표정이 이상했던 거 같아요. 한 방만 더 부탁드려요, 네?"

"알겠습니다. 하나, 둘, 셋…… 김치!"

태봉이 버튼을 누르는 순간, 등 뒤에 섰던 여학생이 난데없이 재건의 목을 와락 끌어안았다. 연이어 대담하게 재건과 얼굴을 찰싹 맞붙이기까지 했다. 그 자세 그대로 선명한 사진이 저장되었다.

"아, 고맙습니다!"

여학생은 삭제할까 봐 겁이라도 났는지 재빨리 핸드폰을 낚아챘다. 자리로 돌아간 그녀들 사이에서 금세 생기발랄한 웃음소리가 터져 나왔다.

"사진이 잘 나온 모양이네요. 당황스러우시죠, 작가님?"

태봉이 질렸다는 듯이 고개를 내저으며 물었다. 재건의 얼굴에 묻어나는 곤혹스러움을 읽고 한 질문이었다.

"도준이한테도 장난 아니에요. 사진 찍으면서 뽀뽀는 예

사고 옷 속으로 손까지 넣는다니까요. 그 일로 채린이랑 싸운 적도 있었어요."

"옷 속으로 손은 좀 과한 감이 있는데요."

그렇게 대꾸하며 재건은 자동적으로 소중한 여자를 떠올렸다. 인터넷으로 사진이 퍼지면 대만에 간 수희도 보게 될 것이다.

그런 생각을 하는 와중에 도준이 사진을 다 찍고 돌아왔다.

"그러고 보니 내일이네?"

자리에 앉으며 도준이 말을 꺼냈다. 무슨 뜻인지 몰라 두 눈을 치켜뜨는 재건에게 그는 덧붙였다.

"오스카의 던전 말야."

"아, 그렇지."

재건이 고개를 끄덕였다.

드디어 내일이면 모바일 게임 '오스카의 던전' 서비스가 본격적으로 시작된다.

"공식 카페 들어가 봤더니 회원이 벌써 10만 명 넘었더라. 대박 터뜨리는 거 아니냐?"

"넥션에 손해만 안 끼치면 좋겠다."

재건은 기대 반 두려움 반이었다. 최선을 다한 규호와 수희, 그리고 기획 팀 직원들이 부디 웃을 수 있게 되기만을 바라는 마음이었다.

"잘될 거야. 나도 트위터에 광고 팍팍 때려줄게. 이미 그러고 있고."

"고맙다."

"고맙기는. 난 네 덕분에 틴센트 픽처스랑 접점이 만들어지게 생겼는데 트위터에 홍보 좀 때려주는 게 대수냐? 요즘 우리 대표님 나 볼 때마다 덥스텝 추고 난리 났어."

도준이 수정과 대접을 높이 들었다.

"오스카의 던전 대박을 위해서 건배."

재건이 웃으며 대접을 들었다. 시간이 지나 미적지근해진 수정과였지만 맛만은 여전히 달콤했다. 그는 목울대를 울리며 도준의 축복을 남김없이 받아들였다.

BIG LIFE

"파트장님, 우리 길드부터 만들어요."

"레벨 10부터 만들 수 있다고 돼 있는데?"

"아, 진짜요? 좋은 이름 선점하고 싶은 거 있는데, 확 캐시 좀 질러 버릴까."

"시스템 파악도 안 하고 뭔 벌써 과금이야."

점심시간이 되어 직원들이 썰물처럼 빠져나간 사무실.

박 대리에서 박 과장이 된 정진, 그리고 마찬가지로 이 과장에서 이 파트장으로 승진한 두 사람만이 자리를 사수하고 있었다.

오늘 오전부터 서비스를 개시한 '오스카의 던전' 로고가 두 사람의 핸드폰 화면을 가득 채우고 있었다.

"파트장님, 트랩 어떻게 설치하셨어요? 저 좀 보여주세요."

"아, 좀 시작은 직접 해봐. 뭘 내 걸 참고하고 그래? 거 게임 기획자 맞어?"

면박을 주고 잠시 후, 이번엔 이 파트장이 물었다.

"어? 이거 뭐야? 박 과장, 나 사전 예약 특전 장비로 지팡이가 나왔네? 힘캐인데 이거 써도 되나?"

"거참, 파트장님도. 한번 일단 장착이나 해보시고 말씀하세요. 게임 기획자시잖아요."

두 사람은 점심을 먹는 것도 잊고 게임에 몰입했다. 그들에게는 재건의 작품 애독자라는 공통분모가 있었다. 하지만 집중력이 발휘되는 이유를 비단 그것뿐이라고 볼 수는 없었다.

"이거 게임 잘 만들었네. UI도 깔끔하고."

"그러게요. 조작이 간편해서 여자도 많이 하겠어요."

밥 없이는 살아도 게임 없이는 못 사는 두 사람이었다. 기획자로서의 사명감이 더해진 그들은 '오스카의 던전'으로 점심시간을 한껏 불태우기 시작했다.

그와 같은 시각.

'오스카의 던전'을 플레이하는 사람은 정진만이 아니었다.

재건을 아는 많은 사람이 무기를 들고 모험을 떠났다.

소미와 부천 사무실의 작가들, 영화 '겨자 목욕탕' 현장에서 대기 중인 예슬, 신작 드라마를 촬영하다가 휴식 시간을 맞은 도준, 공개방송 리허설을 끝낸 애플티의 채린과 유리까지.

모두가 각자의 핸드폰을 두 손에 들고 던전을 공략하는 중이었다.

재건의 아버지 석재도 그러한 용사들 중 한 사람이었다.

'뭐야, 이 녹색 괴물 놈은? 왜 안 죽어?'

석재는 정원 구석 의자에 앉아 어렵사리 던전을 공략하고 있었다. 등 뒤로 다가오는 재인의 낌새도 전혀 알아차리지 못했다.

"아빠, 저녁 드세요."

"어, 어어……."

당황한 석재가 핸드폰을 손에서 놓쳐 버렸다. 핸드폰을 주워 든 재인이 화면을 보고 두 눈을 동그랗게 떴다.

"아빠……?"

"험, 내가 뭐 이런 걸 하겠냐? 네 엄마도 너도 하도 재건이가 스토리 쓴 거라고 말하니까 뭔가 해서 설치나 한번 해본 거야.”

“레벨이 벌써 8이나 되시는데……?”

석재가 땀에 젖은 양 뺨을 벅벅 문질렀다.

“뭐, 칼질 몇 번 한 거밖에 없어. 그것 참, 사람들 이런 건 눈 아파서 어떻게 하나? 핸드폰 화면도 쬐깐해 갖고는. 크음, 저녁이나 먹자.”

석재가 도망치듯 먼저 자리를 떴다. 재인은 웃음이 터져 나오려는 입을 틀어막고 핸드폰 화면을 다시금 들여다보았다. 아버지가 만든 캐릭터의 이름은 하재건이었다.

‘이걸 재건이한테 말해줘 말어?’

서로 얼굴을 붉힐 두 부자를 생각하니 도저히 참을 수가 없었다. 끝내 재인은 정원 한가운데에서 소리 높여 웃음을 터뜨리고 말았다.

BIG LIFE

[이미 사용 중인 닉네임입니다.]

“뭐지, 벌써 누가 내 이름 썼어.”

재건이 낭패에 젖은 얼굴로 중얼거렸다. 글을 쓰느라 뒤늦게 시작한 것이 후회되는 순간이었다. 소파에 비스듬히 누워 핸드폰을 잡고 있는 그의 곁에는 리카도 함께하고 있었다.

"리카, 네 이름도 누가 이미 쓰고 있네. 오스카도 안 되고……. 이름 같은 거 대충 지으면 되는 걸 난 왜 항상 캐릭터 만들 때마다 이렇게 고민할까. 아, 풍천유도 벌써 누가 쓰고 있네? 이거 혹시 연우 아냐?"

드르륵!

전화가 오면서 게임 화면이 사라지고 남규호의 이름 세 글자가 떠올랐다. 재건은 몸을 일으켜 앉으며 통화 아이콘을 끌어당겼다.

"네, 남 이사님."

-축하드립니다, 선생님. 그리고 저도 축하해 주시죠.

"무슨 말씀이신지……?"

-오스카의 던전이 앱스토어 인기 무료 게임 1위 찍었습니다.

"네? 1위요?"

재건은 멍한 얼굴로 되물으며 벽시계를 쳐다보았다.

오늘 출시되어 10시간이 채 지나지 않았는데 1위라고?

이어지는 규호의 말은 재건을 더욱 놀라게 만들었다.

-더 중요한 매출 순위는 8위에 안착했습니다. 서비스 개시부터 정확히 6시간 만에요. 지금까지 넥션에서 출시된 모든 모바일 게임 출시 첫날 기록을 갈아치운 겁니다. 내일부

터 인터넷 볼만해지겠습니다.

재건은 할 말을 잊고 리카만 쳐다보고 있었다. 손해만 나지 않기를 바랐는데 첫날부터 기록 경신이라니. 가슴에서부터 올라오는 호흡이 확연히 가빠졌다.

–그래서 오늘 기획 팀 회식하려고 합니다. 혹시 괜찮으시다면 참석해 주실 수 있으신지요? 저희 팀원들이 무척 좋아할 텐데요.

"참석하겠습니다. 어디로 가면 됩니까?"

재건이 자리에서 벌떡 일어서며 대답했다. 그는 핸드폰을 귀와 어깨 사이에 끼고 서둘러 바지를 입었다. 중심을 잃어 엉덩방아를 찧으면서도 얼굴은 그저 웃고 있었다.

BIG LIFE

대만의 수도 타이베이 중심가의 카페.

수희는 노트북 펼쳐 놓고 앉아 전면 유리창 너머로 빌딩을 바라보고 있었다. 시선이 머무른 곳은 빌딩 한가운데에 붙은 대형 광고판이었다. 그녀가 속한 넥션보다 한발 빠르게 대만에 둥지를 튼 타 게임사의 광고였다.

'사흘 뒤에 대만 컴퓨터 협회 2차 미팅 있고…….'

아침부터 날씨가 흐리더니 조금 전부터 빗방울이 떨어지

기 시작했다. 수희는 산책을 하러 나왔다가 이 카페에 자리를 잡은 참이었다.

대만에서의 첫 휴일이지만 오늘도 머릿속은 업무에 관한 생각들뿐이었다. 아이러니하게도 재건을 위해서 재건과 헤어져 이곳까지 왔다. 6개월 내로 반드시 성과를 일궈낼 각오였다.

드르륵!

핸드폰이 울리며 남규호의 이름이 액정 위로 떠올랐다. 수희는 즉시 전화를 받았다.

"네, 이사님."

–협회와 미팅 잡았다는 메일 받고 전화했습니다. 아침 식사는 하셨습니까?

"먹었어요. 이사님도 드셨어요?"

–어제 과음해서 아침은 생략했습니다.

수희가 오전 8시를 가리키는 벽시계로 눈을 돌리며 웃었다.

1시간의 시차가 있으니 서울은 지금 9시일 터였다.

간밤에 회식이 있었다는 건 기획 팀 직원의 연락을 받아 알고 있었다.

회식에 재건이 참석했다는 것도, 그리고 기분이 좋아진 규호가 우겨서 재건과 새벽녘까지 술자리를 이어갔다는 것도.

—건 그렇고, 대만에 가 보니 느낌이 어떻습니까.

"대단히 개방적인 분위기예요. 타국의 게임이라고 배척하거나 경시하는 풍조가 느껴지지 않아요."

—두 번 방문한 제 감상도 비슷했습니다. 시장 분위기가 열려 있었어요. 실제로 먹히는 장르도 다양한 편이고.

"네, 적극적인 게임 이용자도 많고, 유료 결제에 관한 거부감도 훨씬 적다는 걸 직접 와서 몸으로 체감하고 있어요."

—무리하진 말아요. 보는 눈 없다고 몰래 야근하지 마시란 얘깁니다. 이 팀장 스타일 모르는 것도 아니고. 이게 제일 중요한 얘기니 흘려듣지 마세요.

"명심할게요, 이사님."

수희가 싱긋 웃으며 대답했다. 조언하는 쪽이나 대답하는 쪽이나 무책임하다는 생각이 들어서 웃음이 났다. 한번 시작하면 끝장을 봐야 하는 성격은 피차 마찬가지 아니던가.

—그럼 이만 끊겠습니다. 식사 잘 챙겨 드시고 내주에 다시 통화합시다.

"네, 이사님. 연락드리겠습니다."

전화를 끊은 수희는 노트북으로 인터넷에 접속했다. 새벽부터 실시간 검색어를 차지한 '오스카의 던전'은 여전히 그 자리에 머물러 있었다. 흡족한 표정으로 목록을 훑던 수희는 어느 한 지점에서 마우스를 멈췄다.

[절친 박도준과 하재건. 삼계탕집에서 즐거운 몸보신]

뉴스 제목을 클릭하자 내용과 함께 여러 장의 사진이 줄을 이었다.

도준과 재건이 함께 삼계탕을 먹는 사진, 도준이 팬들과 함께한 사진, 마지막은 세 여성과 함께한 재건의 사진이 장식하고 있었다.

'아주 좋아 죽는구나, 하재건?'

수희가 두 눈을 가늘게 떴다. 두 여자에게 양팔을 붙잡힌 것만으로도 모자라 한 여자에게는 아예 등 뒤에서부터 끌어안긴 모습이었다. 누군지도 모르는 여자와 얼굴을 맞대고 있는 재건을 보자니 은연중에 부아가 치밀었다.

드르륵!

노트북 옆에 놓아둔 핸드폰이 울렸다. 상대를 확인한 수희는 '너 잘 걸렸다'는 표정으로 핸드폰을 집었다.

"어."

수희가 냉랭하게 전화를 받았다.

전파 저편에서 재건의 신음 소리가 들려오고 있었다.

—으으…… 아침 먹었어?

"먹었지. 시간이 몇 신데."

—나는 좀 전에 일어났어. 어제 기획 팀이랑 하도 달려

서…….

“그랬구나.”

—무슨 일 있었어? 목소리가 왜 그래?

“아니, 조금 피곤해서.”

수희가 싸늘하게 대답을 이었다. 문득 스스로가 유치하다는 생각이 들었고 그래서 오히려 더 골이 났다.

—지내기는 어때?

“아주 좋아. 다 편해.”

—비행기 타고 날아갈까. 벌써 너 보고 싶어서 큰일인데.

“거짓말하지 마.”

—내가 무슨 거짓말을 해.

“한국에 예쁜 여자 많잖아. 굳이 내가 보고 싶겠어?”

—너만큼 예쁜 여자는 없으니까.

“거짓말. 거짓말이야.”

졸음이 가시지 않은 재건의 웃음소리가 수희의 귓가를 간질였다. 잦아드는 웃음 끝으로 리카의 울음소리도 희미하게 들려오고 있었다. 재건과 리카가 함께 흐트러진 평온한 광경이 눈앞에 그려졌다. 수희는 당장 돌아가 그들 사이에 섞이고 싶은 충동을 억누르며 말을 이었다.

“축하해. 오스카의 던전 잘돼서.”

—다 너랑 이사님, 그리고 기획 팀 직원들 덕분이지.

"나한테는 그렇게까지 말하지 않아도 괜찮아."

–진심이야. 특히 너. 네가 없었으면 난 여기까지 오지도 못했어. 넌 진짜 내 인생의 한 줄기 빛이야. 내가 아직 술 덜 깬 김에 말하는 거야.

수희가 핸드폰을 고쳐 잡으며 어쩔 수 없이 웃었다. 잠시나마 토라졌던 기분이 차차 가시고 있었다. 떨어져 있기 때문일까. 재건이 어떤 남자인지 잘 알면서 괜한 일로 투정을 부리려고 했다.

–거긴 날씨 어때? 여긴 엄청 더운데.

"여긴 아까부터 계속 비……."

수희가 눈앞을 바라보며 말끝을 얼버무렸다. 어느새 거짓말처럼 비가 그쳤다. 젖은 우산을 거둬들인 행인들의 머리 위로 햇살이 쏟아지고 있었다.

BIG LIFE

[하재건 원작 모바일 게임 '오스카의 던전', 출시 첫날 앱스토어 매출 8위 기염]

['오스카의 던전' 매출 8위, 출시 첫날 10위권 진입은 넥션으로서도 최초]

[넥션 모바일 야심작 '오스카의 던전' 출시 하루 만에 공식 카

페 가입자 20만 명 돌파, 시작부터 심상치 않은 조짐]
[하재건 작가 과거 인터뷰 中, '오스카의 던전은 여자들도 유쾌하게 읽을 수 있도록 심혈을 기울인 판타지']

"남 이사님 말씀대로네."

인터넷을 들여다보며 재건이 중얼거렸다. 당장 내일부터 인터넷이 볼만해질 거라던 규호의 추측대로였다. 온갖 언론에서 '오스카의 던전'을 기사로 내보내고 있었다.

간만에 접속해 본 트위터도 매한가지였다. 마지막으로 봤을 때 150만 명 정도였던 팔로워 수가 어느새 200만 명의 고지에 다다르고 있었다.

기존 풍천유와 하재건의 독자, 채린과 도준을 통해 유입된 팬, 여기에 게임의 성공으로 찾아든 이용자들까지 뒤섞여 저마다 메시지를 쏟아냈다. 일일이 확인하려면 한 달 밤을 꼬박 새워도 모자랄 지경이었다.

"꾸준히 나갔으면 좋겠어."

재건이 리카를 쓰다듬으며 중얼거렸다.

넥션은 대기업이고 아낌없는 지원을 펼쳐 줬다. 적지 않은 공을 들인 그들의 노고를 위해서라도 한순간의 반짝임으로 끝나서는 안 된다.

73장

피차 열심히 합시다

다행히 재건의 걱정은 기우로 그쳤다. 일주일이 지나도록 '오스카의 던전' 열풍은 식지 않았다. 식기는커녕 오히려 거세져서 매출 순위는 4위까지 상승했다.

덩달아 원작 소설과 웹툰도 탄력을 받았다. 래프북스에서 출간된 '오스카의 던전' 종이책은 추가 증쇄를 하게 됐다. 재건과 소미가 함께 작업한 웹툰 또한 조회수가 10배 가까이 증가하는 기염을 토해냈다.

"마케팅에 돈 아끼면 좋은 꼴 못 봅니다."

입버릇처럼 말했던 대로 규호는 더욱 대대적인 마케팅을 펼치도록 장려했다. 인터넷에서는 물론이고 공중파 및 케이블 TV, 지하철과 버스를 통해서도 아낌없는 마케팅을 퍼부었다.

"유명 연예인 얼굴 하나 들이밀고 내보내는 그런 광고는 안 됩니다. 더 멋있게, 더 웅장하게, 영화처럼 만들어요."

일이 이렇게 되자 원작자인 재건도 덩달아 바빠질 수밖에 없었다. 모바일 게임 '오스카의 던전' 성공으로 인한 온갖 취재 요청이 들어오기 시작한 까닭이다. 래프북스의 태원과 넥션의 규호가 추려냈지만 그것만으로도 수십 군데였다.

영화에 이어 게임까지 성공하고 나니 예전보다 반응이 훨씬 강렬했다. 작가인 재건은 글 쓰는 일보다 취재로 바빠진 아이러니한 상황을 맞이하고 있었다.

"게임의 성공에 힘입어 원작 소설이 또 증쇄를 했습니다. 소감이 어떠십니까?"

"더 많은 분이 봐 주셔서 기쁠 따름입니다. 원작 소설을 읽은 분들이 자연스레 게임에도 관심을 가져주시고, 또 그 반대로 게임을 재미있게 하신 분들도 소설을 읽어봐 주시길 바라는 그런 마음입니다."

"오스카의 던전 뒤를 이어 넥션에서 출시될 겨자 목욕탕은 스토리의 비중이 굉장히 높은 장르라고 들었습니다. 원작과 달라진 점이 있다면 무엇을 예로 들 수 있을까요?"

"오스카의 던전과 달리 겨자 목욕탕은 넥션에 거의 맡겨둔 상태입니다. 들은 바로는 아무래도 게임이니까 여러 분기점이 생길 겁니다. 소설처럼 결말이 정해져 있지 않다는 거죠. 여러 번 플레이해도 새로운 재미를 느낄 수 있는 그런 게임이 되지 않을까 합니다.”

재건은 규호와 수희의 성의에 보답하듯 가능한 최선을 다해 취재에 임했다.

하지만 이따금 도저히 답변을 할 수 없는 짓궂은 질문들도 있었다. 일이 아닌 그의 개인사에 관한 것들이었다.

“인터넷에 떠돌고 있는 출처 불명의 사진에 대해 여쭤보고 싶습니다. MPC그룹 회장의 석고대죄라는 루머가 떠돌고 있는데 이건 정말인가요?”

“일과 관련되지 않은 질문은 일절 받지 않겠습니다.”

“증권가를 통해 넥션의 남규호 이사님과 절친한 관계라는 얘기가 나오고 있습니다. 여기에 대해서 한 말씀만 부탁드립니다.”

“다른 기자분께도 말씀드렸지만 요지를 벗어난 질문에 드릴 수 있는 답변은 없습니다.”

“EBC 간판 아나운서 박혜상 씨와의 다정한 모습을 자주 보이셨는데요. 어떤 관계인지 한 말씀만 해주시죠.”

“기본적으로 싫어하는 사람도 아니고 좋은 사람과 만날 땐 다정해야 하는 것이 정상 아닐까요.”

“일이 아닌 다른 부분에서 서로에게 호감을 느끼시거나 그런 건 없는지 질문을 드리는 겁니다."

"아까부터 자꾸 취지를 벗어난 질문을 하십니다. 연예부 기자도 아니시면서 왜 이러시는지 모르겠습니다."

거듭되는 취재 속에서 재건은 감정을 제어할 줄 아는 스스로의 기질에 안도했다. 항시 침착함을 유지할 수 있는 성향을 물려준 아버지에게 새삼스레 감사함을 느끼는 나날이었다.

성의껏 취재에 응한 그의 얼굴과 발언은 연일 인터넷 뉴스와 SNS를 장식하고 있었다.

BIG LIFE

똑똑.

문을 두드리는 소리에 규호가 두 눈을 찌푸렸다.

'누구야?'

사무실 직원들이라면 누구나 알고 있다. 자신이 연락도 없이 찾아와 문을 두드리는 일을 혐오한다는 사실을. 그의 짜증스런 의문은 이내 문이 열리며 풀렸다.

"어? 아버지? 아니, 회장님."

규호가 허둥지둥 자리에서 일어섰다.

정장을 입은 반백의 60대 남자가 딱딱한 표정으로 들어오고 있었다. 규호의 아버지 남규백이었다.

"어쩐 일로 오셨어요? 연락도 없이."

"내가 내 아들 보러 회사도 못 오냐?"

"놀라서요. 이렇게 찾아오신 적 없으시잖아요. 앉으세요."

규호가 소파에 규백을 앉히고 서둘러 커피를 탔다. 이 회사에서 남을 위해 커피를 타는 건 지금이 처음이었다.

"너 요즘 일 잘하더라? 주가도 많이 오르고."

"생각보다 잘되고 있어서요."

"중국에선 다음 주부터라고? 공 많이 들이는 것 같던데."

"지난 분기 매출 보세요. 일본 10%에 유럽 5%인데 중국은 한국과 똑같이 40%예요. 공을 안 들일 수가 없어요. 잘될 테니 두고 보세요, 남 회장님."

커피를 가져오는 규호가 실실거렸다. 아버지 앞에서만 보일 수 있는 천진난만한 웃음이었다.

때로는 엄격한 스승처럼, 때로는 둘도 없는 친구처럼 평생을 돌봐주신 아버지다. 그러한 아버지 덕분에 어머니가 없어도 크게 쓸쓸하지 않은 삶을 살아올 수 있었다.

"무슨 일 있으세요?"

규호가 테이블에 커피를 내려놓으며 물었다. 규백의 표정이 여전히 딱딱하기 그지없었기 때문이다.

잠시 후, 규백이 시선을 들고는 던지듯이 물었다.

"너 정우혁이한테 왜 그랬냐?"

"……."

규호가 말문이 막혀 시선을 피했다. 자신과 일하는 소중한 작가의 가족에게 부당한 짓을 저질렀기 때문이다라는 천편일률적인 대답 따윈 아버지에게 먹힐 리가 없었다.

"말 안 해?!"

"깜짝이야. 아버지 좀……!"

"뭐가 아버지 좀이야? 야, 인마! 너 때문에 내 체면이 말이 아냐. 그 친구 지분 매각하고 일선에서 물러난다더라. 네가 내 아들놈인 거 세상천지가 다 아는데 너 뭔 짓을 하고 다니는 거야?"

"피자는 더 맛있어지겠네요."

"뭐가 어째?"

"그, 그게 아버지! 그럴 만한 사정이 있었어요. 아니, 그리고 네? 터놓고 말씀드리자면 애초에 정 회장이 잘못한 거 아닙니까? 갑의 횡포잖아요, 갑의 횡포."

"아니, 이놈이 뭘 잘했다고?!"

규백이 벌떡 일어나 손바닥을 치켜들었다. 규호가 즉시 양어깨를 움츠리며 고개를 푹 숙였다. 껌벅 죽는 시늉을 하는 아들 앞에서 규백은 혀를 끌끌 찬 끝에 말을 이었다.

"나 지금 황영제약 한 회장 만나고 오는 길이다."

"……?!"

규호가 놀라서 고개를 퍼뜩 쳐들었다. 아버지가 한 회장을 만날 일이라면 하나밖에 없다. 이제 막 유학을 마치고 돌아온 둘째 딸과 결혼시키려는 것이다.

"다음 주 일요일에 보기로 했으니 그렇게 알아두고."

"아, 아버지."

"그 말 하려고 왔다. 난 이만 간다."

"잠깐만요, 아버지. 커피라도 드시고 가셔야죠."

"네가 타 주는 거 맛없어서 안 먹어."

"아니요, 아, 아버지! 잠깐만요. 회장님, 우리 존경하는 회장님!"

규호가 부랴부랴 규백의 앞을 가로막고 섰다. 두 사람의 시선이 비슷한 눈높이에서 부딪쳤다. 규호에게 훤칠한 유전자를 물려준 아버지답게 규백도 키가 꽤나 큰 편이었다.

"드릴 말씀이 있어요."

그렇게 말하며 규호가 갑자기 그 자리에 무릎을 꿇었다. 그와 동시에 규백은 기겁해서 두 눈을 부릅뜨고 뒷걸음질을 쳤다.

"야야, 너…… 너! 빨리 안 일어나?!"

"아버지, 진짜 이 말씀만은 꼭 드려야 돼요."

규호가 바지자락을 붙잡고 애원했다.

안색이 한껏 창백해진 규백은 들은 척도 하지 않고 아들의 손길을 거칠게 뿌리쳤다.

“네놈이 무릎만 꿇으면 되도 않는 헛소리가 나와! 더는 너 때문에 꿈자리 사나워지고 싶지 않다. 야야, 됐고 애비 이만 먼저 간다.”

“저 좋아하는 여자 있어요!”

아들에게 다리를 잡힌 채로 문고리를 붙잡은 규백이 그대로 몸을 굳혔다. 서서히 고개를 돌리는 그에게 규호가 나직이 말을 이었다.

“저 좋아하는 여자 생겼다고요, 아버지.”

무거운 정적이 사무실 안에 내리깔렸다.

무릎까지 꿇는 아들을 보고 규백은 두 가지를 직감했다.

첫째, 아들이 정말로 좋아하는 여자라는 점.

둘째, 자신의 마음에는 차지 않을 여자라는 점이었다.

“좋아하는…… 여자?”

이윽고 규백이 떨떠름한 얼굴로 물었다.

발치에 무릎을 꿇은 규호가 고개를 끄덕이고 있었다.

“그러니까 혼담은 이제 그만둬 주세요.”

“어떤 아가씨야?”

대답에 앞서 규호는 침을 한 번 꿀꺽 삼켰다.

“착해요. 가정적이고 온화하고…….”

"누가 성격 물어봤어? 하는 일이 뭐야?"

"그…… 교육자요."

"무슨 교육자?"

"학생들을…… 교육하죠."

두루뭉술한 대답이 계속되자 규백의 이가 빠드득 갈렸다.

규호로서는 어쩔 수 없는 일이었다. 솔직히 말했다간 허락은커녕 당장 사무실 집기나 죄다 부서지고 말 테니까.

"너 지금 애비하고 말장난하자는 거냐?"

"무슨 말씀을 그렇게 하세요. 그런 거 아니에요, 아버지."

규호가 나직이 대꾸하며 슬쩍 고개를 들었다.

규백의 매서운 시선과 마주치자 그는 황급히 고개를 도로 떨어뜨렸다.

"나이는?"

"……."

"안 들려? 나이는 몇 살이나 먹었어?"

"저보다 어립니다."

규백의 두 눈이 까뒤집혔다. 그는 더 이상 참지 못하고 고래고래 소리를 질렀다.

"당연히 너보다 어려야지! 인마, 너 올해 서른 하고도 여덟이야! 그 아가씨 몇 살이냐고!"

규백의 호통은 문을 뚫고 나가 사무실 전역을 울릴 정도로

켰다.

규호는 꿇었던 무릎을 풀고 일어나 사정했다.

"조금만 기다려 주세요, 아버지. 제가 준비되는 대로 다 말씀드리겠습니다."

"무슨 준비?! 나 모르는 사이에 혼인신고 하고 살림이라도 차리겠다고?!"

"그럴 까닭이 없잖아요. 아무 말씀 마시고 기다려 주세요. 비행기도 뜨려면 활주로 구르는 시간이 필요하다고요. 저도 아버지께 좋은 말씀을 드리려면 준비할 시간이 있어야죠."

설득의 근거가 빠저리게 부족해서 말하는 규호 스스로도 조바심이 났다. 규백의 얼굴에 잔뜩 드러난 의구심을 지워내기엔 턱없이 모자랐다.

규백이 정수기로 가 냉수를 벌컥벌컥 마셨다. 천장을 우러러 길게 심호흡을 한 그는 탁 소리가 나도록 컵을 내려놓고 물었다.

"얼마나 기다리라는 거냐?"

"그게 반년만, 아니, 1년이요. 1년 안으로 말씀드릴게요."

규백이 한껏 일그러진 얼굴로 돌아보았다.

노기 가득한 표정을 감히 마주할 수 없어서 규호는 다시금 두 눈을 내리깔았다.

"정말로 그 아가씨가 좋은 거냐?"

"……네."

"좋긴 한데 아직 내게 보이기는 어렵다?"

"그렇습니다."

"그 이유도 말할 수가 없다?"

"죄송할 따름입니다."

규백이 지끈거리는 머리를 싸매고 소리 없이 신음했다.

결론이라면 일찌감치 났다. 지금 봐서 마음에 차지 않을 여자가 1년의 시간을 준다고 아들에게 적합한 신붓감으로 변할 리 없는 것이다.

그렇다고 다짜고짜 우겨댈 수도 없는 법.

쓸데없이 강한 고집까지 물려받은 아들이 헛짓거리를 하게 되면 그거대로 큰일이다.

한참을 번민한 끝에 규백은 일단 기회를 주기로 했다.

"다음 주 일요일 한 회장과 보기로 한 약속은 변함없다."

규백은 다 죽어가는 얼굴로 바라보는 규호에게 덧붙였다.

"약속은 약속이니 나와서 엉덩이라도 붙이고 앉아 있어. 그리고 그 아가씨는 올해 안에 내 앞으로 데려오고."

"아버지……?"

"아직 올해 끝나려면 다섯 달이나 남았어. 왜, 싫어?"

"아, 아니요. 알겠습니다. 그렇게 할게요."

규호가 빠르게 고개를 끄덕였다. 애초에 1년의 여유를 주십사 빌었던 것은 단 한 달만이라도 말미를 얻기 위해서였다. 그런데 5개월이나 여유가 생겼으니 큰 수확이었다.

"정말 감사합니다, 아버지."

"그딴 소리 하지도 말아."

"집으로 들어가실 거죠? 제가 모셔다 드릴게요."

"아, 일없어. 거치적거리지 말고 길 터."

규호는 엘리베이터 앞까지 규백을 배웅하고 돌아섰다. 무기력하게 어깨를 늘어뜨린 그에게 직원들은 의아한 눈길을 던지고 있었다.

'일단 급한 불은 껐다는 건데…….'

이것으로 당분간은 혼사 문제로 골치를 앓을 일은 없어졌다. 하지만 결코 영원한 평화가 아니다. 한시바삐 대비책을 강구하지 않으면 실로 끔찍한 내년을 맞이하게 되리라.

규호는 사무실로 돌아오자마자 핸드폰을 꺼내 들었다. 손가락은 '하재인 원장님'의 번호를 검색하고 있었다. 그녀에게 받아내야 할 빚이 있었다. 규호가 강요한 것이 아니라 재인이 자처해서 생겨난 빚이었다.

–네, 이사님. 안녕하세요.

놀라움 섞인 재인의 목소리에 생기가 그득했다. 규호는 즉시 피로가 사라지는 것을 느끼며 소파에 몸을 털썩 앉혔다.

"바쁘십니까?"

—아니요, 괜찮습니다. 말씀하세요.

“별고 없으시나 해서요. 원장님 댁에 기자들 아직도 들러붙거나 그러지 않습니까? 힘드시면 언제든지 말씀하세요. 제가 처리해 드릴 수 있으니까요.”

또박또박 말하면서도 규호는 자기 머리를 때리고 싶었다. 이런 얘기나 하려고 전화를 건 것이 아니다. 기자들 문제라면 진즉에 처리했다.

전파 저편에서 재인의 풋풋한 웃음소리가 일었다.

—이제는 조용해졌어요. 걱정해 주셔서 감사드려요, 이사님.

“흠, 그래요.”

규호가 코 밑을 쓱 문지르며 일어섰다. 초조해서 가만히 앉아 있을 수가 없었다. 사무실 안을 빙빙 돌면서 그는 어렵사리 말을 이었다.

“그, 원장님 혹시…….”

—네?

“그러니까 혹시 그, 스테이크 좋아하십니까? 그러니까 제 말은…… 기왕에 식사하게 된 거 원장님도 좋아하시는 메뉴로 정해야 하지 않을까 싶어서 말입니다.”

“…….”

즉답이 돌아오지 않았다. 끽해야 몇 초간의 침묵이 마치 몇 시간처럼 길게 느껴지는 규호였다.

잠시 후, 탄성과 함께 재인이 한껏 밝은 목소리로 대답했다.

–아, 네. 이사님. 무슨 말씀을 하시나 잠깐 생각했어요. 죄송해요. 제가 둔해서요. 꼭 한번 식사 대접해 드리고 싶다고 말씀드렸던 그거 말씀이시죠?

"흠, 네…… 뭐, 그렇습니다."

–저 스테이크 좋아해요. 자주 먹어보진 않았지만요. 꼭 스테이크가 아니더라도 저는 뭐든지 잘 먹으니까 메뉴도 식당도 이사님께서 정해주세요.

"그럼 스테이크로 합시다."

규호가 잘라 말했다. 머리로는 자신이 아는 최고의 레스토랑을 떠올리고 있었다. 재인의 부드러운 성향에도 딱 맞는 장소라고 그는 확신했다.

"이번 주말 어떠십니까?"

–아, 이번 주말이요?

"달리 선약이라도……?"

–4박 5일로 가족 여행을 떠나게 됐어요. 정말 죄송하지만 다음 주말은 어려우실까요?

"어려울 것 없습니다. 그럼 다음 주에 뵙는 걸로 알고 있겠습니다."

–네, 이사님. 정말 고맙습니다. 연락드리겠습니다.

전화를 끊은 규호는 마음이 진정되지 않아 창가로 가섰다. 강렬한 태양이 내리쬐는 도심을 내다보고 있자니 속이 탔다.

1년만 일찍 만났으면 좋았을 것을. 그러면 지금쯤은 함께 여행을 떠날 사이가 됐을지도 모르는데.

"……열심히 합시다, 하재건 선생님."

더욱 높은 곳까지 올라가주기를. 그래서 넘어야 할 벽이 한둘이 아닌 내게 힘을 보태주기를.

뜨거운 세상을 바라보며 규호는 몇 번이나 혼잣말로 진심을 곱씹었다.

BIG LIFE

"그럼 전 이만 올라가 볼게요."

"뭐? 벌써? 밥이라도 먹고 가야지."

"사무실 작가들하고 바로 출발해야 해서요."

"잠깐이라도 쉬다가 가. 계속 운전했잖아."

명자에 이어 재인도 재건을 뜯어말렸다. 4박 5일간의 가족여행을 마치고 이제 막 하와이에서 돌아온 참이었다.

"그렇게 안 피곤해. 오는 비행기에서도 계속 잤고. 아버지, 엄마. 오늘은 푹 쉬세요. 누나도 일찍 자고."

재건은 신발을 신고 차로 걸어갔다.

그의 뒤로 따라붙으며 재인이 물었다.

“청평으로 간다고?”

“어, 작가들 다 마감 있고 그래서 가까운 곳으로 정했어.”

“정말 안 피곤하겠어? 차라리 차 두고 택시를 타.”

“괜찮다니까 그러네. 갈게.”

재건은 걱정하는 재인을 뒤로하고 차를 출발시켰다.

명석에게 선물로 받은 은빛의 멋진 자동차가 한산한 대로를 미끄러지듯 나아갔다.

오래지 않아 작가 사무실 오피스텔 앞에 도착했다. 일행은 모두 짐을 챙겨 큰길에 나와 있었다. 재건이 핸들을 꺾어 그들 앞의 갓길에 차를 세웠다.

“하마터면 늦을 뻔했네요. 얼른 타세요.”

“진짜 차 너무 좋다. 감히 실례할게요, 하 작가님.”

감탄하는 은영을 시작으로 민호, 현경, 연우가 줄을 지어 뒷좌석에 올랐다.

차가 커서 4명이 타도 전혀 좁지 않았다. 자연스레 마지막 남은 소미는 조수석에 몸을 싣게 됐다. 넓적다리 위에는 리카가 웅크리고 있었다.

“리카, 잘 지내고 있었어? 돌봐줘서 고마워요, 소미 씨.”

“아니에요. 리카가 저를 돌봐줬어요. 신기하게 알람보다 더 저를 잘 깨워준다니까요."

뒷좌석의 연우가 뒤늦게 생각났다는 표정으로 상체를 들고 말했다.

"재건이 형, 죄송해요. 딴생각하다 멍하니 타버렸네요. 제가 운전할 테니까 내리세요."

"내가 가자고 한 여행이니까 오늘은 내가 운전기사 할게. 그럼 출발합니다."

재건은 예약해 둔 펜션의 주소를 내비게이션에 입력한 다음 액셀을 밟았다.

한산한 도로를 내다보며 은영이 기쁜 듯이 말했다.

"평일이라 길 하나도 안 막히네요. 우리 같은 프리랜서들은 이런 건 좋아. 정말 고마워요, 하 작가님."

옆에 앉은 민호와 현경도 한마디씩 거들었다.

"그러게, 하 작가님 안 계셨으면 피서고 뭐고 없었지. 다들 마감에 쫓겨서 마음에 여유 자체도 없었고."

"바비큐는 시작부터 끝까지 이 양현경이 전부 도맡겠습니다."

차 안 가득 웃음소리가 뒤섞였다.

재건이 주선한 즐거운 여행이다. 사무실에 틀어박혀 글만 쓰며 지내왔던 작가들은 벌써부터 강렬한 해방감에 도취되어 있었다.

"와, 오스카의 던전 엄청나다!"

핸드폰으로 인터넷을 검색하던 은영이 탄성을 내질렀다. 흥미가 동한 표정의 민호가 얼굴을 들이밀었다.

"무슨 기사 또 났어?"

"이거 봐. 오스카의 던전 보름 만에 누적 다운로드 200만 돌파! 올해 최고 모바일 게임 흥행작 기대! 국내 앱스토어 및 구글플레이 매출 순위 1위!"

뒷좌석의 소란에 재건은 머쓱하게 웃을 뿐이었다.

해당 뉴스는 이곳에 오기 전 이미 접했다. 예상보다 성과가 훨씬 좋아서 더없이 마음이 편해진 상태였다. 월말에 있을 틴센트와의 만남에 대해서도 부담감이 완전히 사라졌다.

"아, 가는 길에 오스카의 던전이나 해야지."

"나도 해야지."

"뭐야, 다들 얘기하면서 갈 줄 알고 참고 있었는데. 그럼 나도 할 거야."

결국 모든 작가가 핸드폰으로 '오스카의 던전'을 실행시켰다.

문득 옆을 본 재건은 소리 내어 웃음을 터뜨렸다. 소미까지 게임을 실행시키고 있었던 것이다.

"좋아, 버서커 풍천유가 출격한다."

"뭐야? 역시 연우였어? 풍천유 이름 누가 썼나 했더니."

“최고의 팬으로서 광속으로 선점했죠, 헤헤.”

“그럼 혹시 여기 리카 쓰신 분은 없죠?”

“저랑 현경이는 아닙니다.”

“저도 아니에요. 전 부천이뿌니거든요.”

바로 그때 조수석의 소미가 수줍은 듯이 손을 들며 말했다.

“……리카는 저예요.”

“하하, 진짜요? 흔한 이름이라 제가 아는 사람들은 아닐 줄 알았는데. 야, 리카. 너 소미 언니한테 잘해.”

재건이 손을 뻗어 리카를 쓰다듬었다.

리카를 다리에 앉히고 있는 소미는 재건이 자신을 쓰다듬어주고 있다는 기분에 사로잡혔다. 이 순간이 길어지도록 차가 막혔으면 좋겠다고, 실속도 없이 그녀는 문득 생각했다.

74장
이것이 중국인가

"이 넥타이 정말 안 이상해? 너무 튀는 것 같지 않아?"

"잘 어울린다고 몇 번을 말해? 당신답지 않게 왜 이렇게 긴장했어?"

동미가 슈트의 먼지를 털어주며 핀잔했다. 전신 거울을 들여다보는 태원은 여전히 쭈뼛쭈뼛 경직된 모습이었다.

"어떻게 긴장을 안 하겠어. 내가 이렇게 큰물에 발을 담글 일이 생기게 될 줄은 꿈에도 몰랐는데. 나 거기 가서 괜히 실수하는 거 아냐?"

"규모가 다를 뿐이야. 그분들이나 당신이나 하는 일은 똑같아. 당신도 엄연히 래프북스의 대표야. 가슴 좀 펴."

동미가 태원의 양어깨를 잡고 활짝 펴주었다.

그녀는 현관 쪽으로 태원의 등을 떠밀며 말을 이었다.

"당신, 매번 하 작가님 덕에 이만큼 살게 됐다고 얘기하는데 그 말 틀렸다고 생각하진 않아. 하지만 당신 능력도 커. 하 작가님이 지금까지 당신 곁을 떠나지 않는 걸 봐. 그렇게 성공하셨는데 아직도 당신이랑 일하시잖아. 내 말 무슨 뜻인지 이해해?"

"응."

구두를 신고 돌아선 태원이 싱긋 웃어 보였다.

동미는 그를 꼭 끌어안고는 등을 토닥이며 격려했다.

"난 당신 믿어. 자신감 가져."

"그래, 일찍 돌아올게."

"볼일 다 보고 들어와. 외박해도 뭐라 안 할 테니까."

"외박까지 할 일은 없을 거야. 틈나면 바로 전화할게."

차를 두고 나온 태원은 대로에서 즉시 택시를 잡았다. 기사가 즉시 열려 있던 창문을 닫고 에어컨을 가동시켰다.

"어디로 모실까요?"

"63빌딩으로 가주세요."

달리기 시작한 택시 안에서 태원은 호흡을 가다듬었다.

출판 업계에 몸을 담고 살아온 지난 세월이 주마등처럼 눈앞을 스쳐 갔다.

밥 먹을 틈도 없이 일만 했던 스타북스 재직 시절부터, 퇴직 후 래프북스를 창립해서 힘겨운 영업을 시작했던 무렵까지 한순간도 고되지 않은 적이 없었다.

그래도 태원은 견딜 수 있었다. 모든 순간 곁에 한 사람의 작가가 있어줬기 때문이다. 그리고 이제는 그 작가 덕분에 또 한 번 힘차게 도약할 수 있는 발판을 얻었다. 희열과 감격으로 벌써부터 가슴이 찌르르 울리는 태원이었다.

드르륵!

태원이 울리는 핸드폰을 꺼내 들었다. 이름을 확인하자마자 입가에 미소를 지으며 그는 전화를 받았다.

"네, 하재건 작가님. 지금 가고 있습니다."

빌딩 초고층에 위치한 중국식 레스토랑 '천리향'.

재건에게는 두 번째 방문인 식당이었다. 예약된 대형 룸에는 그를 포함한 약속된 인원이 전부 모여 있었다.

"하재건입니다. 이렇게 뵙게 되어 무척 기쁩니다."

재건이 자기소개를 마치고 자리에 앉았다.

뒤를 이어 웅성출판그룹 편집장 명석, 넥션 기획 이사 규호, 그리고 영화배우 도준과 래프북스 대표 태원이 차례차례 자신을 소개했다.

'와, 긴장되네.'

태원은 찻잔을 들어 타는 목을 달랬다. 흔들리는 눈으로는 맞은편의 얼굴들을 힐끗거리고 있었다.

테이블 너머로 나란히 앉은 세 사람은 앞서 자기소개를 끝낸 틴센트 문학 대표 런쉐와 틴센트 문학 고문 린즈허, 틴센트 픽처스 대표 마오옌이었다.

이들이 전부 한자리에 모일 수 있었던 것은 명석과 규호를 통한 조율 덕분이었다.

린즈허와 마오옌은 서로 사업적인 관계가 없어 오늘의 일에 관한 이야기를 하지 않았을 뿐, 애초에 가깝게 지내는 사이였다.

'내가 이렇게 엄청난 사람들과 마주 앉게 되었다고……?'

에어컨이 가동된 룸의 공기는 쾌적했다. 그럼에도 불구하고 태원은 벌써부터 등줄기가 땀으로 범벅이었다.

대체 틴센트가 어떤 기업인가. 중국 최대 인터넷 기업이자 게임 산업의 맹주가 아니던가.

'게임에 이어 전자책에, 이제는 영화까지 손을 뻗다니.'

이 자리에 오기 전까지 태원은 틴센트란 기업에 대해 철저히 공부했다.

그가 아는 틴센트의 진가는 지적재산권, 즉 IP에 있었다. 틴센트는 10년 이상 사업을 진행하며 우수한 IP를 대량으로 확보했다. 웹툰만 2만 작품 이상, 문학 쪽은 훨씬 압도적으로 400만 명의 창작자가 만들어낸 1,000만 개 이상의 IP가

등록되어 있었다.

소속 작가가 100명이 못 되는 태원의 래프북스와는 비교 자체를 불허하는 수치였다.

인기 IP를 앞세워 더욱 큰 가치를 창출하는 것.

그러기 위해 다른 장르로 플랫폼을 확대하는 것이 현재 틴센트라는 기업 전체의 주요한 전략이었다.

'근데 저분은 어쩐지 낯익은 얼굴인데…….'

틴센트 문학의 고문이라는 린즈허의 얼굴이 이상하게 익숙한 태원이었다.

나이는 이제 60대 중반일까. 희끗희끗한 머리에 살집은 넉넉한 풍모를 가진 남자였다. 인자함이 가득 깃든 그의 표정에서 태원은 처음부터 호감을 느끼고 있었다.

동석한 재건도 태원과 비슷한 생각을 품고 있었다.

'어디서 분명히 본 적이 있는 것 같아.'

벌써 린즈허라는 남자의 얼굴을 몇 번이나 힐끔거렸는지 모른다. 커다란 귀에 동그란 얼굴이 그저 평범하다 싶으면서도 한편으로 자꾸만 시선이 갔다.

어느 순간 문득 재건은 절에서 본 불상을 떠올렸다. 린즈허의 선한 이미지와 부처의 얼굴이 꼭 닮았다는 느낌이었다. 실제로 다물고 있는 입술에서도 부처와 같은 온화한 미소가 감돌고 있었다.

바로 그때, 린즈허와 재건의 눈길이 무심코 부딪쳤다. 평소의 재건이었다면 자연스레 다른 곳으로 눈을 돌렸을 터였다. 하지만 지금은 이상하리만치 시선을 뗄 수가 없었다.

린즈허의 두 눈은 깊고 푸르렀다. 그와 시선을 마주한 재건은 맑은 호수 속을 직접 헤엄치고 있는 듯한 착각마저 느꼈을 정도였다.

이윽고 린즈허가 확연히 입꼬리를 올리며 웃었다. 그러고는 곁에 앉은 통역사에게 중국어로 무엇인가를 속삭였다.

듣고 난 통역사가 즉시 재건에게 말해주었다.

"하재건 선생님의 인상이 참 좋다고 하십니다."

"아아, 고맙습니다."

재건이 머쓱하게 웃으며 대꾸했다.

잠시 망설인 끝에 그는 덧붙였다.

"저야말로 린즈허 고문을 뵈면서 그런 생각을 하고 있었다고 말씀해 주시면 감사하겠습니다."

통역사가 즉시 재건의 말을 전했다. 린즈허는 주름 가득한 얼굴에 더욱 환한 미소를 피우고는 대답을 이어갔다.

"하재건 선생님의 작품을 세 번씩 읽었다고 하십니다. 특히 멍청한 여자와 질풍노도는 지금도 가끔 잠자리에 들기 전 꺼내 본다고 하십니다. 객관성을 유지하면서 인간을 관통하는 선생님의 이야기에 본인도 배울 점이 많다고 하십니다."

"격찬에 몸 둘 바를 모르겠습니다."

재건이 고개를 살며시 숙이며 감사의 뜻을 전했다.

이번에는 린즈허 옆에 앉은 틴센트 문학의 대표 런쉐가 입을 열었다. 통역사는 두 귀를 쫑긋 세우고 경청하더니 한국어로 재건에게 전해 주었다.

"런쉐 대표님이 하 선생님의 작품을 알게 된 것은 린즈허 고문의 추천이 있었기 때문이라고 합니다."

"아아, 네."

"좋은 작품으로 자신을 즐겁게 해주신 하 선생님께도 감사드리지만, 그래도 린즈허 고문에게 더 크게 감사하고 있다고 하십니다. 왜냐하면 이토록 좋은 작품을 자신에게 알려준 린즈허 고문의 공 또한 크며, 어젯밤엔 맛있는 밥까지 사주셨기 때문이라고 하십니다."

사람들 사이에서 한바탕 웃음이 일었다. 런쉐의 농담 덕분에 터진 시기적절한 웃음은 아직까지 남아 있던 장내의 긴장감을 상당량 해소시켜 주었다.

직원들이 찻잔을 치우고 음식을 날라 왔다.

모두들 샥스핀 스프로 숟가락을 가져가려는 찰나, 린즈허의 말을 듣고 난 통역사가 재건에게 이야기를 전했다.

"저기, 하재건 선생님. 린즈허 고문께서 개인적으로 부탁드리고 싶은 것이 있다고 하십니다."

"네, 말씀하세요."

"선생님의 손을 한번 잡아보고 싶어 하십니다."

"……?"

재건은 의아스러운 표정이 되어 두 눈을 동그랗게 떴다.

난데없이 손을 잡자니 무슨 이유일까.

마주 보는 린즈허의 얼굴은 여전히 편안하게 미소를 띠고 있을 뿐이었다.

"제 손을요?"

"네, 불순한 의도는 없으니 걱정은 마시라고 하십니다."

재건이 겸연쩍게 웃으며 좌우를 돌아보았다. 문득 눈이 마주친 명석은 가볍게 웃으며 눈짓을 보내왔다.

"네…… 그렇게 하시지요."

재건이 수락하며 고개를 끄덕였다.

맞은편의 린즈허가 자리에서 일어섰다. 테이블이 넓어서 앉은 상태에서는 손을 잡을 수가 없는 까닭이었다. 아버지뻘 되는 연장자이기에 재건도 몸을 일으키고 섰다.

"이, 이렇게 손을 드리면 됩니까?"

재건이 그렇게 물으며 두 손을 살짝 내밀었다.

린즈허도 두 손을 뻗어 재건의 양손을 아래에서부터 받치듯이 잡았다.

그런 채로 잠자코 두 눈을 감았다.

'뭘 하시려는 거지?'

두 손을 맡기고 선 재건은 괜스레 긴장해서 목울대를 울렸다. 주변 모든 사람이 입을 다물고 있었다. 흥미 가득한 그들의 시선이 재건과 린즈허에게 집중되어 있었다.

"셰셰."

한참 만에 눈을 뜬 린즈허가 재건의 손을 놓으며 말했다.

중국어를 공부한 적 없는 재건도 알아들을 수 있는 기본적인 감사의 말이었다.

자리로 돌아간 린즈허가 통역사에게 귓속말을 전했다. 그 말은 이윽고 통역되어 재건에게로 돌아왔다.

"처음에는 하 선생님이 이토록 젊은 분이라는 사실을 알고 많이 놀랐다고 하십니다. 하 선생님이 정확히 어떤 분이신지 모르는 상태에서 글을 읽으셨다고요. 멍청한 여자와 질풍노도에서 표현된 인간의 깊이가 남달라서 자신과 비슷한 연배일 것으로 생각했다고 하십니다."

재건은 고갯짓으로 화답하는 한편 자신의 몸 안에 깃든 대선배의 존재를 떠올렸다. 린즈허가 느낀 깊이는 아마도 자신이 아닌 서건우였을 것이리라.

통역사의 말이 이어지고 있었다.

"그리고…… 린즈허 고문은 하 선생님의 글에서 두 기운의 충돌을 느꼈다고 하십니다."

"두 기운이요?"

"네, 한쪽은 한계를 알지 못하고 뻗어 나가는 청량하면서도 앳된 기운, 다른 한쪽은 흔들림 없이 성숙하고도 완고한 기운. 전반적인 문맥을 통해 이 두 기운이 끊임없이 충돌하면서 과하거나 혹은 모자람 없이 글을 이끌어 간 원동력이 된 느낌이라고 하십니다."

"……!!"

재건이 놀라서 통역사와 린즈허를 번갈아 쳐다보았다. 실제로 자신의 몸에는 두 사람의 자질이 공존하고 있지 않은가. 지금껏 수많은 평론가로부터 감상을 받아왔지만 이런 견해는 처음이었다.

'원래 글을 쓰시던 분인가……?'

린즈허의 예리한 통찰력에 감탄해야 하는 것일까.

정말로 글만 보고서도 두 기운의 충돌이 보였던 것일까.

끊임없는 의문 속에서 통역사의 말이 이어지고 있었다.

"하지만 선생님의 최근 작품일수록 그러한 충돌이 거의 느껴지지 않았다고 하십니다. 실례가 될지도 모르겠지만, 자신은 이것을 선생님의 문학적 성장이라고 생각하고 있다고 말씀을 하셨습니다."

"네……."

재건은 반쯤 얼이 빠진 표정으로 고개를 주억거렸다.

그런 끝에 뒤늦게 생각난 표정으로 대뜸 물었다.

"제 손을 왜 잡으셨는지 여쭤봐도 되겠습니까?"

통역사가 린즈허에게 말을 전했다.

린즈허는 재건에게 시선을 둔 채로 통역사에게 대답을 들려주었다.

"선생님의 영혼을 들여다보고 싶었다고 하십니다."

"제…… 영혼을요?"

재건은 완전히 어안이 벙벙해졌다. 손을 잡는 것으로 상대의 영혼을 들여다볼 수 있다니. 황당하기 짝이 없는 이야기였다.

"네, 아무도 믿어주지 않지만 자신에게는 사람의 영혼을 들여다볼 수 있는 능력이 아주 가끔 발현된다고 하십니다."

"그래서…… 결과는 어떠셨습니까?"

재건이 상체를 앞으로 쑥 내밀며 냉큼 되물었다.

린즈허는 그 표정과 몸짓만으로도 알아들었다는 듯 통역사의 말을 기다리지 않고 대답했다.

"오늘은 영 그 능력이 나오지 않는다고, 다음에 한 번 더 기회를 달라고 하십니다."

또 한 번 주변에 잔잔한 웃음이 일었다. 오직 재건만이 웃을 수가 없었다. 망연자실하게 시선을 떨어뜨린 그에게 통역사는 다시 린즈허의 말을 전하고 있었다.

"아무튼 이렇게 뵙게 돼서 정말 기쁘다고 하십니다. 특히 같은 작가로서요."

"……?"

같은 작가라는 말에 재건이 고개를 치켜들었다. 중국 문학도 한국에 소개된 작품이라면 꽤 많이 읽었다. 하지만 린즈허라는 이름의 작가는 기억에 있지 않았다.

미리 알았으면 실례가 되지 않도록 읽고 올 수 있었을 텐데.

안타까워하는 재건의 표정을 읽기라도 한 것처럼 린즈허는 통역사를 통해 말을 이었다.

"작가로서 다시 한번 정식으로 자기소개를 드리겠다고 하십니다. 린즈허는 자신의 본명이고 작가로서는 리즈팅이라는 이름을 쓰고 있다고 하십니다."

"리즈팅……?"

재건이 입안에서 리즈팅이라는 이름을 곱씹었다. 이윽고 얼마 지나지 않아 그는 두 눈을 한껏 부릅떴다.

"혹시……! 황소를 쓰신 그 리즈팅 선생님?!"

"네, 맞습니다."

재건은 머리 위로 쇳덩이가 떨어진 듯한 충격을 받았다.

리즈팅은 작가인 그로서 모를 수가 없는 이름이었다. 리즈팅은 아시아 문학계의 거장이자 하나의 별이었다. 80년대부터 집필 활동을 시작한 그는 수많은 명작을 배출해 냈다.

기어이 몇 년 전에는 대표작 '황소'로 노벨문학상을 수상하기까지 한 위대한 작가였다.

"정말로…… 정말로 영광입니다."

재건이 더듬더듬 말하며 자리에서 몸을 일으켰다. 용광로처럼 달아오른 가슴을 식힐 길이 없었다. 한 자리 건너의 규호는 기이한 눈빛으로 그런 재건을 힐끔거리고 있었다.

'저 성격에 저런 반응을 보일 때도 있나?'

규호로서는 알 수 없었다. 리즈팅을 향한 재건의 경외감이 얼마나 거대한 것인지. 두 사람 사이를 오가는 보이지 않는 유대감 또한 전혀 짐작할 수가 없는 것이었다.

"리즈팅 선생님의 작품은 전부 읽었습니다. 중학교 때부터요. 소수민족의 삶, 두 번째 인생, 아내의 얼굴, 그리고 노벨문학상을 수상하신 황소까지…… 정말 가슴으로 감명 깊게 읽었습니다. 정말로 이렇게 뵙게 되어 영광입니다."

재건이 격정에 차오르는 목소리로 말하고는 허리를 90도로 숙였다. 작가가 되고 싶어 불철주야 노력했던 시절이 눈앞에 떠올랐다. 자신에게 수많은 자양분이 되어준 위대한 선배를 향한 감사였다.

통역사를 통해 말을 들은 리즈팅도 이미 일어서 있었다. 그 역시 미소를 띤 얼굴로 정중하게 허리를 숙여 보였다. 재건의 귓가로 아까 들었던 '셰셰'란 말이 희미하게 전해져 왔다.

'나오길 잘했어……!'

인사를 마치고 자리에 앉은 재건은 탁자 밑으로 주먹을 불끈 쥐었다.

리즈팅처럼 위대한 작가를 만나게 되다니.

이것만으로도 자신에게는 너무도 큰 수확이었다.

'고맙습니다, 남규호 이사님……!'

재건이 감사의 마음 듬뿍 담긴 눈빛으로 건너편의 규호를 바라보았다. 의미를 알 수 없는 규호는 뺨을 긁으며 멋쩍게 웃어 보였다.

잠시 후 통역사가 말을 이었다.

"마오옌 대표께서 대략적으로 인사는 끝난 것 같으니, 자신부터 이야기를 해도 되겠냐고 하십니다. 자기 이야기가 가장 빨리 끝날 거라는 말씀이십니다."

재건을 비롯한 모두가 웃으며 마오옌에게로 시선을 옮겼다. 틴센트 픽처스 대표인 마오옌은 40대의 여성이었다. 검은 머리칼은 짧았고, 마른 체형에 팔다리가 길었다. 하얀 얼굴에는 화장기가 거의 없었다. 장신구도 귓불에 딱 붙는 간소한 형태의 귀걸이뿐이었다.

마오옌은 재건과 도준을 이따금 바라보면서 통역사에게

자신의 뜻을 전했다. 그녀가 말을 마치자 통역사는 즉시 재건과 도준에게 전해 주었다.

"하 선생님과 배우 박도준 님께 여쭤보고 싶다고 하십니다. 좋은 기회가 있다면 바다가 있었다 때처럼 함께 작업하실 용의가 있으신지 말입니다."

재건과 도준이 서로의 얼굴을 쳐다보고는 차례차례 대답했다.

"네, 물론입니다."

"당연히 그럴 용의가 있습니다."

마오옌의 입가에 시원한 미소가 한 줄기 쭉 그어졌다. 그녀는 즉시 통역사를 통해 자신이 가져온 확고한 뜻을 전했다.

"틴센트 픽처스에서 하 선생님의 작품 질풍노도를 영화화하고 싶다고 하십니다."

"……?!"

"같은 여자로서 험난한 세상을 돌파하는 질풍노도의 여주인공에 굉장히 공감했다고 하십니다. 마오옌 대표 본인도 소주라는 가난한 동네에서 태어났고, 격변하는 중국 시장에서 생존하기 위해 분투했다고 하십니다. 빠르게 성장하는 경제만큼 획기적으로 변해가는 중국 청년들의 가치관에도 잘 통할 수 있는 작품이라고 생각하고 있다고요."

예상치 못한 제안 앞에서 놀라워하는 재건에게 통역사는

덧붙였다.

“개런티는 200% 이상 만족하실 것이며 모든 제반 사항 또한 힘이 닿는 한 맞춰주겠다고 하십니다. 다만 주연배우는 박도준 님, 그리고 시나리오는 무조건 하재건 선생님이 맡아주시는 전제하에요. 미국 위저드리 픽처스와도 협업 관계인 만큼 중국만이 아닌 미국 시장까지도 책임져 줄 수 있다고 하십니다.”

“재건아…….”

도준이 옆으로 고개를 돌리고 재건의 이름을 불렀다. 파격적인 제안 앞에서 아직도 멍하기만 한 재건은 대답을 할 수가 없었다.

“물론 당장 확답을 요구하는 건 아니며, 이 자리에서는 두 분께서 함께하실 수 있다는 의지를 확인한 것만으로도 만족하다고 하십니다.”

마오옌이 통역사를 거쳐 몇 마디를 추가로 덧붙였다.

두 손으로는 자신의 태블릿 PC를 내밀고 있었다. 통역사는 그녀의 PC를 통해 중국 박스 오피스 순위표를 보여주면서 설명했다.

“이것이 최근 중국 극장가의 현황입니다. 얼마만큼의 성과를 원하시든 간에 틴센트 픽처스는 그 이상을 보장해 드릴 수 있다고 하십니다.”

통역사가 1위 작품을 손가락으로 가리켜 보였다.

"중국의 국민 배우이자 감독이기도 한 동후아의 신작 미녀도입니다. 장르는 하 선생님의 질풍노도와 색채가 비슷한 멜로드라마로 볼 수도 있겠고요. 개봉 3주 차인 현재까지 압도적으로 1위를 수성하고 있습니다."

재건과 도준이 상체를 기울이고 화면으로 시선을 모았다.

"누적 매출은 31억 위안, 관객 수는 이제 1억 명을 돌파하기 직전입니다. 중국 역대 흥행 기록은 진즉에 깼습니다. 그리고 이 기록마저 조만간 깨지리라는 것이 마오옌 대표의 견해입니다. 그만큼 우리나라의 성장세는 가파릅니다."

꿀꺽.

도준이 침을 꼴깍 삼켰다. 중국에서 연예 활동을 한 경험 덕에 대체적인 시장 규모나 현황이라면 얼추 알고 있었다. 그런데도 지금 새삼스레 가슴이 뛰는 건 틴센트 픽처스의 선택을 받은 시점이기 때문이었다.

'한국의 연간 관객 수를 다 합쳐도 총합이 1억 1,000만 명인데…… 단일 영화로 누적 관객 수 1억 명이 목전이면 이건 진짜……!'

맞은편의 마오옌은 긴장한 낯의 도준을 바라보며 싱긋 웃고 있었다. 짓궂은 기미는 없었다. 일 잘하는 커리어우먼이 내보일 수 있는 당당한 미소였다.

허세를 부릴 목적으로 중국 박스 오피스 현황을 들이댄 것이 아니다. 중국 시장이 얼마나 거대한지를 강조하고 있을 따름이었다. 틴센트 픽처스 대표로서 재건과 도준을 안심시키고 끌어들이기 위해.

"두 분은 이미 각각 작가와 배우로서 중국 시장에 진출하신 상태입니다. 한국에서 먼저 개봉되고 중국에도 들어온 영화 바다가 있었다도 성적이 나쁘지 않았습니다. 하지만 이번에는 시작부터 저희와 함께하시는 겁니다. 더 많은 관객이 두 분의 작품을 접할 수 있도록 날개를 달아드리겠습니다. 동후아 감독이 차지한 왕좌의 다음 주인은 질풍노도가 될지도 모릅니다."

통역사가 말을 마쳤다. 재건은 천장의 조명이 오롯이 떠오른 술잔을 내려다보고 있었다. 머리로는 지금까지 들은 마오옌의 말을 정리하는 중이었다.

"혹시 질문하실 부분은 없으신지요?"

"흠, 있습니다."

잠시 생각을 마친 재건이 고개를 들고 대답했다.

"우선 제 작품 질풍노도를 높이 평가해 주셔서 무척 감사합니다. 시나리오로 참여하는 것도 아무런 문제가 없습니다. 제 입장에서는 오히려 기쁜 일입니다. 중국어를 못하니 번역가가 있어야겠지만요."

마오옌이 하얀 치아를 드러내며 웃었다. 재건도 웃으면서 생각한 바를 연이어 늘어놓았다.

"제가 여쭤보고 싶은 것은 두 가지입니다. 우선 첫 번째는 감독에 관해서인데요. 혹시 바다가 있었다의 윤태성 감독님에 대해 아시는지요?"

통역사를 거쳐 말을 듣고 난 마오옌이 빠르게 고개를 끄덕이며 대답을 전했다.

"물론 잘 알고 있다고 하십니다. 현재 제작 중인 영화 겨자 목욕탕도 무척 기대하고 있다고요. 혹시 질풍노도 감독으로 윤태성 감독을 추천하시려는 거라면 그것 또한 대환영이라고 하십니다."

재건의 의중을 파악하고 한 수 앞까지 빠르게 대화를 진행시키는 마오옌이었다.

재건은 고개를 까닥여 감사하고는 두 번째 질문을 던졌다.

"또 한 가지는 여주인공 배역을 맡을 배우에 관해섭니다."

도준이 의아하다는 눈빛으로 재건을 돌아보았다. 시나리오 작업 방식 혹은 번역 문제에 관해 물어볼 거라고 생각했던 예상이 빗나갔다.

"꼭 추천하고 싶은 여배우가 한 사람 있습니다."

깊은 밤의 어둠을 몰아내던 그녀의 환한 웃음이 눈앞에 그려지는 재건이었다. 질풍노도가 완성되기까지 지대한 공을 끼친 그녀도 어느덧 배우가 되었다. 그녀에게 기회를 주고 싶었다. 본인을 토대로 만들어진 여주인공을 직접 연기하는 그녀의 모습을 무척 보고 싶었다.

"그 여배우가 누구인지 알 수 있냐고 하십니다."

마오옌이 통역사를 통해 물었다. 의문 가득한 눈빛으로 재촉하는 도준 옆에서, 재건은 나직이 대답했다.

"홍예슬이라는 배우입니다."

"……?"

도준은 어이가 없어서 멀거니 친구의 얼굴을 바라보았다.

어떤 여배우를 추천하려는 건가 내심 기대하고 있었는데 그게 예슬이었다니. 이제 겨우 단편영화 한 작품을 끝냈고 '겨자 목욕탕'에서 조연을 맡게 된 신출내기 아닌가.

'재건아, 너 대체 무슨 생각을 하고 있는 거냐……?!'

예슬이 열정과 재능을 겸비한 배우라는 건 도준도 인정하는 바였다. 하지만 이건 별개의 문제다. 경력이라고는 백지나 다름없는 신인 배우를 과연 틴센트 픽처스가 반겨줄까.

마오옌이 자신의 PC로 홍예슬을 검색했다. 정보를 훑어보는 그녀의 안색이 점차 곤혹으로 물들어 가고 있었다. 거기에 대고 재건은 말을 이었다.

"신인 배우를 주연으로 기용한다는 것 자체가 엄청난 모험일 수 있다는 점 저도 압니다. 당연히 홍예슬 씨를 주연배우로 삼아 달라고 고집을 부리겠다는 것이 아닙니다. 그저 홍예슬 씨에게 오디션을 볼 기회라도 한번 주실 수는 없을지, 그 정도의 부탁을 드리는 겁니다."

이윽고 마오옌이 PC에서 눈을 떼고 재건을 바라보았다. 난처한 미소를 띤 그녀의 입술이 천천히 열렸다.

"이 배우를 추천하시는 특별한 이유라도 있으신지요?"

"제가 질풍노도를 쓰면서 그렸던 여주인공과 꼭 같은 인상을 지닌 배우이기 때문입니다. 개인적인 친분은 없습니다."

공개적으로 밝힐 수 있는 건 이 정도가 끝이었다.

재건은 강력하게 믿고 있었다. 예슬이 밤의 세계를 노닐던 과거를 기억하고 있다면, 그래서 당시의 자신을 이끌어 낼 수만 있다면 그녀 이상의 여배우는 어디에도 없을 것이라고.

"……."

입술을 앙다문 마오옌은 고민하는 기색이 역력했다. 직원이 나타나 새 요리를 내려놓는 사이에도 생각에 잠긴 채 손가락 하나 움직이지 않았다.

얼마나 시간이 흘렀을까. 마오옌이 내리깔았던 시선을 거둬들였다. 재건을 지그시 바라보면서 그녀는 웃는 얼굴로 입술을 달싹였다.

"테스트를 해보겠다고 하십니다."

"정말 감사합니다."

재건이 만족스럽게 고개를 끄덕였다. 시나리오 작가로서 더 이상은 개입하기 힘든 부분이다. 이것으로 충분하다는 생각이었다.

틴센트 문학 런쉐 대표가 술잔을 들었다. 그것을 신호로 재건을 비롯한 모두가 술잔을 들어 건배를 나눴다.

중국술은 강렬한 향기만큼 맛도 독했다. 무심코 얼굴을 찡그리는 재건에게 런쉐가 조언했다.

"입안의 술이 혀와 입천장에 고루 닿도록 머금으면서 향취를 즐기십시오. 그러기를 수 초 후에 천천히 목으로 넘기시면 더욱 깊은 풍미를 느끼실 수 있습니다."

"네, 다음 잔부터는 꼭 그렇게 마시겠습니다."

재건이 소년처럼 밝게 웃으며 대답했다.

오늘의 소중한 자리에 감사하면서 그는 또 한 잔의 술로 뿌듯한 가슴을 덥혔다.

BIG LIFE

"아, 중국인들은 술이 너무 세."

한껏 게워내고 욕실에서 나온 도준이 중얼거렸다. 새빨간 얼굴에 두 눈은 초점 없이 흐릿했다.

"어떻게 그 큰 병으로 순식간에 열 병이 사라지냐."

"이거 마셔."

재건이 뚜껑 딴 숙취 해소 드링크를 건넸다. 도준은 단숨에 마시고는 헛구역질을 하며 소파에 주저앉았다.

"너무 힘들면 자고 가."

"아무래도 그래야겠어. 태봉이 형한테 전화해야겠다."

"내가 대신 해줄까?"

"아니, 그건 됐고. 재건아."

도준이 몸을 고쳐 똑바로 앉더니 풀린 두 눈에 힘을 주며 입을 열었다.

"이제야 물어보는 건데 너 왜 그랬냐?"

"내가 뭘."

"홍예슬 말야. 뜬금없이 걔를 왜 추천했어? 윤태성 감독님이 좋아하는 배우라서? 솔직히 당황스러웠다."

"지난번에 단편영화 볼 때부터 생각한 건데. 내가 생각했던 여주인공 이미지와 딱이더라고. 그래서 추천한 거야. 너도 좋은 배우라고 칭찬했었잖아."

그 말에 도준이 돌연 두 눈을 가늘게 떴다. 그런 채로 재건의 얼굴을 뚫어져라 바라보며 그는 떠보듯이 물었다.

"너…… 사심이 있구나?"

"갑자기 무슨 소리야."

"수희 씨처럼 예쁜 여자 친구를 두고서도 다른 데로 눈길이 간단 말이지? 그런 거로군?"

"참나."

재건이 어이없어 하며 헛웃음을 터뜨렸다.

"솔직히 말해봐. 그렇잖아? 내 추측이 틀렸다면 어디 근거라도 대봐. 없지?"

"뭘 추궁하고 있냐."

"아니, 추궁이라니? 순수하게 궁금해서 물어보는 거야. 언제부터야?"

"언제부터는 무슨 또 얼어 죽을 언제부터야. 나 수희 말고 좋아하는 여자 없어. 됐지?"

"에라이, 재미없는 인간아."

도준이 뒤로 벌러덩 드러누웠다. 천장을 올려다보며 한동안 말이 없던 그는 한숨과 함께 다시 입을 열었다.

"우리 형이 지금 내 모습을 봐야 되는데……."

"보고 계실 거야. 동생 자랑하느라 한창 바쁘실 때니까 자꾸 생각하지 말고 형님 좀 편히 계시게 놔둬라."

"그래……. 다음 주에 납골당 한번 가야지."

"나도 같이 갈게."

"재건아."

"말해."

"나는 아직도 실감이 안 난다. 배우 박도준 최근 들어 너무 빨리 컸어. 너는 아무런 느낌도 없어?"

"나야 더하지."

재건이 커피 메이커 쪽으로 걸음을 옮기며 대꾸했다.

"인세로 한 달에 100만 원씩만 꾸준히 들어오면 좋겠다고 빌었던 게 엊그제 같다. 할 줄 아는 건 글 쓰는 것뿐인데 생활이 안 되니 미래는 안 보이고…… 부모님 뵐 면목도 없었고. 정말 죽을 맛이었지."

커피를 타고 돌아선 재건은 소리 없는 웃음을 터뜨렸다. 그사이를 견디지 못하고 도준이 입을 반쯤 벌린 채로 잠들어 있었던 것이다.

"뭐 이런 놈이 다 있어."

재건은 이불을 가져다 도준에게 덮어준 다음 샤워를 하기 위해 욕실로 향했다. 셔츠를 막 벗으려는 순간 핸드폰이 진동하며 전화가 걸려왔다.

"여보세요?"

−안녕하세요, 하 선생님. 오늘 통역을 맡았던 박현민입니다.

"아아, 네. 어쩐 일이세요?"

−다름이 아니라 리즈팅 선생님 일인데요. 조만간 다시 하 선생님을 뵙고 함께 식사도 하면서 못다 한 이야기를 나누고 싶다고 하십니다. 혹시 가능하시겠어요?

"물론 가능합니다. 저는 언제라도 좋습니다."

재건이 즉시 대답했다.

노벨문학상을 수상한 작가의 데이트 신청이라니. 오히려 자신이 바라던 바였다.

비단 작가로서가 아니더라도 묻고 싶은 것이 많았다. 어쩌면 내 안에 깃든 대선배의 진면목을 끌어내 줄 수 있을지도 모른다는 기대감도 포함이었다.

75장

종로 한가운데

[인사동 거리에서 포착한 작가 하재건, 동행한 남자는 노벨문학상 수상 작가 리즈팅?]

[하재건의 미친 인맥, 리즈팅과는 대체 무슨 사이?]

[노벨문학상 수상 작가 리즈팅의 방한. 목적은 하재건?]

8월로 접어든 무더운 첫날.

오늘도 재건을 다룬 온갖 뉴스가 인터넷 주요 포털 사이트를 장식했다. 서울 인사동에서 리즈팅과 함께 밥을 먹고, 쇼핑을 하고, 찻집에서 대화를 나누고 있는 사진이 뉴스마다 줄줄이 올라와 있었다.

언론이 난리법석을 부릴 만도 했다. 리즈팅은 노벨문학상 수상이라는 엄청난 경력을 지닌 작가다. 그런 대작가가 아무도 모르게 조용히 방한했다. 그리고 최근 한국에서 가장 큰 관심을 받고 있는 작가 재건과 어울리고 있었던 것이다.

기자들은 당장에 수소문을 거쳐 리즈팅이 머물고 있는 서울 소재 호텔을 알아냈다. 그러고는 오랜 기다림 끝에 호텔로 돌아온 리즈팅을 발견하고 우르르 몰려들었다.

"한 말씀만 해주세요, 리즈팅 선생님. 하재건 작가와는 어떤 관계세요?"

"예전부터 아는 사이셨나요?"

"방한하신 목적이 하재건 작가와의 만남 때문입니까?"

리즈팅이 곤혹스러운 웃음을 빼물었다. 그의 듬직한 매니저와 통역사는 등 뒤로 리즈팅을 지키며 기자들에게 호소했다.

"선생님께서 몹시 피곤하십니다. 인터뷰는 조만간 선생님께서 시일을 정하시면 저희 측에서 연락을 드리겠습니다."

"부디 한 말씀만이라도 부탁을 드리겠습니다. 하재건 작가와 어떤 사이이신지 간략하게라도 말씀 부탁드립니다. 하재건 작가의 작품은 어떻게 생각하시나요?"

리즈팅이 매니저의 어깨를 다독이며 괜찮다는 신호를 보냈다. 통역사가 마지막 기자의 질문을 전해 주자 그는 웃는 얼굴로 입을 열었다. 기자들은 선 자리를 꿋꿋이 지키고 기다렸다.

“정말 좋아하고 또 존경하는 한국 작가가 있었습니다.”

이윽고 통역사가 기자들에게 리즈팅의 말을 전했다.

“내가 죽기 전에는 한국에서 그 사람 이상의 작가가 나올 수 없을 것이라고 확신하고 있었습니다. 하지만 하재건 작가의 작품을 읽게 된 이후로 그 생각이 달라졌습니다.”

리즈팅이 몇 마디 말을 덧붙였다. 통역사는 그 말도 남김없이 기자들에게 들려주었다.

“그래서 독자로서 방한했습니다. 작가로서 나누고 싶은 이야기도 많았고요. 하재건 작가와의 만남은 이번이 처음입니다. 예전에는 작가와 독자로밖에 알지 못하던 사이였습니다. 이상입니다.”

“잠시만요! 잠시만요, 리즈팅 선생님!”

한 문예지 여성 기자가 다급히 리즈팅을 불러 세웠다.

“앞서 말씀하셨던 그 작가님은 어떤 분이신가요? 정말 좋아하고 존경했다는 한국 작가님이요. 지금도 왕성하게 창작 활동을 하고 계시는 분인가요?”

“이미 세상을 떠나고 없는 분입니다.”

리즈팅을 따라 호텔로 들어서는 통역사의 말이었다.

길이 가로막힌 기자들은 아직도 작아져 가는 리즈팅의 등 뒤에 대고 플래시를 터뜨리기에 여념이 없었다.

"네, 선생님은 잘 들어가셨는지 모르겠습니다. 아, 네. 저도 잘 들어왔습니다. 네, 다시 연락드리겠습니다. 쉬세요."

전화를 끊은 재건은 문이 열린 엘리베이터에 올라탔다.

리즈팅과의 만남 후 리카를 데리러 부천 작가 사무실로 온 참이었다.

"어, 재건이 형. 일찍 오셨네요?"

홀로 열심히 글을 쓰고 있던 연우가 일어나 반겼다.

재건은 창틀로 가 리카를 안아 들며 대답했다.

"저녁까지 먹게 될 줄 알았는데 생각보다 일이 빨리 끝났어. 리즈팅 선생님이 피곤해하시더라고. 근데 왜 너 혼자야?"

"민호 형이랑 은영 누나는 극장 갔고요. 현경이 형은 키보드 부서졌다고 새로 사러 2마트 갔어요."

"그래? 그럼 나랑 저녁이나 먹자."

"좋죠. 뭐 먹을까요?"

"일단 나가서 보고 정하자."

"네, 형. 잠시만요. 저장만 하고요."

연우가 쓰던 글을 저장하고 워드 프로그램을 종료시켰다. 이어서 노트북 전원을 끄려는 그에게 재건이 말했다.

"잠깐만. 그거 보내고 꺼."

"네?"

"나는 반박한다 4권까지 썼다며. 밥 먹으면서 봐 줄 테니까 나한테 파일 보내.”

“아아…… 네.”

힘없이 대답하는 연우의 얼굴에 그늘이 졌다.

재건이 즉시 알아보고 물었다.

“표정이 왜 그래? 뭐 문제 있어?”

“…….”

“왜 그러냐고. 물어보잖아.”

“그, 그게요…….”

연우가 뒷머리를 긁적이며 일어섰다. 바지에 실례라도 한 사람처럼 엉거주춤하게 서서 그는 말을 이었다.

“열심히 쓰고는 있는데 너무 재미가 없어서요.”

“그러니까 재미가 있는지 없는지 봐 주겠다는 거잖아. 대표님은 뭐라고 하시는데?”

“3권 원고부터는 아직 안 보여드렸어요.”

“알았으니까 가져와. 항상 하던 일 갖고 오늘따라 왜 그러냐.”

재건과 연우는 인근 빌딩가 아케이드의 식당 한 곳에 자리를 잡았다. 테이블 가운데의 커다란 냄비에서 섞어찌개가 부글부글 끓었다. 재건은 수저에 손도 대지 않고 연우의 원고부터 읽는 중이었다.

“흐음…….”

재건은 살짝 흘러내린 서건우의 뿔테 안경을 고치며 고개를 갸웃거렸다. 고작 그 행동만으로 맞은편의 연우가 양어깨를 움찔 떨었다.

“다 읽었다.”

연우는 심장이 철렁 내려앉았다. 잘 읽은 게 아니라 다 읽었다니. 함께 지낸 기간이 있기에 이제 재건의 어투를 얼마간은 꿰고 있었다. 부정적인 감상이 분명했다.

“연우야.”

재건이 핸드폰을 내려놓으며 넌지시 불렀다. 연우가 긴장한 낯을 느릿느릿 들었다.

“소주 한잔할래?”

“아, 네…… 전 좋아요, 형.”

재건이 소주를 거꾸로 들고 팔꿈치로 병 밑바닥을 수회 찍었다. 멀뚱히 보고 있던 연우가 물었다.

“예전부터 궁금했는데 왜 그렇게 하세요?”

“그냥 흔드는 것보다 이게 잘 털려.”

“정말 근거가 있어요?”

“연우야, 너무 따지지 마. 그거 네 캐릭터 아냐.”

두 사람이 함께 웃었다. 서로의 잔에 술을 따라 주고 건배를 나눴다. 차가운 술을 목젖으로 넘긴 끝에 재건이 말을 이었다.

"너무 초조하게 쓰지 마라."

"……."

"3권 후반부까지는 괜찮았는데 그다음부터 이야기가 다소 무거워진다. 주인공의 성장보다는 내면적인 갈등에 치중하는 느낌이고. 특히 4권에서 갑자기 대기업 회장이 와서 주인공에게 회사를 차려주는 건 아무리 판타지라지만 좀 지나치지 않나 싶다."

"저도 사실 그렇게 생각했어요. 전개가 생각이 안 나서 저도 모르게 무리수를 썼나 봐요."

"쓰다 보면 그럴 수도 있어. 괜찮아, 고치면 되는 거야."

재건이 술병을 들어 권했다. 두 손 모아 술을 받으면서 연우는 콧등을 찡긋거렸다.

"계속 열심히 해볼게요."

"지금처럼만 하면 돼. 조바심 내지만 말고. 자, 반박의 제왕 대박을 위해 다시 한번 건배."

연우는 기쁘게 웃으며 잔을 단번에 비웠다. 재건의 접시에 먼저 찌개를 덜어주며 그가 물었다.

"리즈팅 선생님하고는 즐거우셨어요?"

"어, 이런저런 대화도 많이 나눴고, 작품에 관해 궁금했던 점도 많이 여쭤보고 그랬어. 꿈같은 시간이었다."

재건이 가방에서 중국어 교재 한 권을 꺼내 보였다.

"오는 길에 샀어. 공부하려고."

"중국어를요?"

"매번 통역 통해서 대화를 해야 하니까 상당히 힘들더라고. 리즈팅 선생님은 영어도 전혀 못하시니 내가 배울 수밖에."

"역시 재건이 형이야. 실행력 갑이고요."

연우가 입에 밥 한 숟가락을 퍼 넣으며 TV로 시선을 가져갔다. 8시 뉴스의 하이라이트 예고가 흘러나오고 있었다.

"어?"

멀거니 TV를 보던 연우가 두 눈을 치켜떴다. 재건과 리즈팅의 만남이란 화두로 뉴스가 나온 까닭이다.

"재건이 형, 형 얘기 나와요."

"나?"

TV를 쳐다본 재건도 두 눈을 동그랗게 떴다. 오늘 만나서 몇 시간을 함께 보냈을 뿐인데 벌써 뉴스라니.

연우가 핸드폰을 꺼내 인터넷을 확인하면서 말을 이었다.

"사람들이 형 알아보고 사진 찍어서 SNS 올렸나 봐요. 인터넷도 난리예요. 기자들이 리즈팅 선생님 호텔 앞으로 몰려들었나 본데요?"

"그래……?"

재건도 핸드폰을 꺼내 인터넷에 접속했다. 리즈팅의 이름으로 검색하자 과연 기사가 쏟아져 나왔다. 가장 최근 기사를 클릭하자 호텔을 배경으로 기자들에게 둘러싸인 리즈팅의 사진을 볼 수 있었다.

[……이어 리즈팅은 "정말 좋아하고 또 존경하는 한국 작가가 있었다. 내가 죽기 전에는 한국에서 그 사람 이상의 작가가 나올 수 없을 것이라고 확신했다."라며, "하지만 하재건이라는 작가를 알게 되고 생각이 바뀌었다."고 덧붙였다.]

기사를 읽는 재건의 가슴이 뭉클해졌다. 더불어 리즈팅이 존경했다는 한국 작가가 누구인지 몹시 궁금해졌다.

문장은 계속되고 있었다.

[……존경하는 그 한국 작가가 누구냐는 질문에 리즈팅은 "이미 세상을 떠나고 없는 사람이다."라고만 덧붙인 뒤 호텔 안으로 모습을 감췄다.]

'이미 세상을 떠나고 없는 사람……?'

단 한 줄의 문장이 뇌리로 세차게 파고들었다.

어째서 이토록 강렬한 느낌일까.

재건은 몇 번이나 반복해서 그 한마디를 입으로 되뇌었다.

"형, 왜 그러세요?"

"잠깐만, 나 전화 한 통만."

재건이 즉시 리즈팅의 통역사에게 전화를 걸었다. 신호음 끝으로 통화가 연결되자마자 그는 냉큼 물었다.

"정말 죄송합니다만, 리즈팅 선생님께서 기자들에게 언급하신 그 작가님이 누구인지 알 수 있을까요? 이미 세상을 떠나셨다는 분 말입니다."

–잠시만 기다려 주세요.

전파 저편에서 통역사와 리즈팅 사이에 중국어로 대화가 오갔다.

재건은 알 수 없는 기대감으로 초조하게 입술을 깨물었다. 돌이켜 보면 처음 만났을 때부터 리즈팅은 묘한 말을 했다. 글에서 두 가지의 상반된 기운이 느껴진다느니, 자신이 영혼을 읽어낼 수 있다느니. 실제로 서건우의 자질을 받아들인 재건으로서는 농담으로 치부할 수만도 없는 일이었다.

'만에 하나 리즈팅 선생님이 말씀하신 작가가 서건우 선배님이라면…….'

지나친 억측이라고 생각되면서도 희망의 끈을 놓지 못하는 재건이었다.

잠시 후, 통역사의 목소리가 귓가를 울렸다.

–늦어서 죄송합니다. 고 강병하 선생님을 말씀하신 거라

고 하십니다.

"강병하…… 선생님이요?"

재건은 반문하는 동시에 맥이 탁 풀리는 것을 느꼈다. 그 역시 익히 알고 있는 이름이었다. 교과서에 단편소설이 실려 있을 정도로 국내에선 유명한 작가였다.

어쨌든 적어도 서건우는 아니었던 것이다.

-네, 특히 장편 '종로 한가운데'는 다시없을 걸작이라는 말씀도 덧붙이셨습니다. 그 작품이 고 강병하 선생님의 모든 작품 중에 단연코 최고인데 구하기가 어려울 거라고 하십니다. 리즈팅 선생님도 이제는 손에 없으시고요.

"정말 고맙습니다. 한번 찾아보겠습니다."

전화를 끊고 난 재건은 인터넷으로 '강병하'의 이름을 검색했다. 오래된 흑백사진과 함께 그의 프로필이 화면에 떠올랐다.

'1929년 경주 출생…… 1995년 신경쇠약으로 사망…….'

공부하던 교과서에서 지겹게 접했던 탓일까, 아니면 세상에 읽을 책이 너무 많았던 탓일까. 재건은 교과서에 실린 단편 말고는 고 강병하의 작품을 거의 접해본 적이 없음을 비로소 깨달았다.

'종로 한가운데라고 했지……?'

재건은 즉시 리즈팅의 추천작인 '종로 한가운데'를 검색했다. 그리고 어디에서도 해당 책이 판매되지 않고 있음을 알 수 있었다. 이유는 참으로 뜻밖이었다.

[……강병하는 자신의 역작인 '종로 한가운데'로 수상할 수 있었던 모든 문학상을 거부했다. 심지어 출판사와의 계약을 파기하고 초판으로 나간 도서마저 전량 회수하려 했다. 이 과정에서 누락된 수백 권은 극히 희귀본이 되어…….]

'모든 수상을 거부하고 계약을 파기해……?'

리즈팅이 책을 구하기 힘들 거라고 말한 원인이었다.

도대체 이것이 어찌 된 영문일까. 노벨문학상 수상자가 극찬했을 정도로 대단한 작품을 고 강병하는 왜 세상으로부터 숨긴 것일까.

'읽어보고 싶은데…….'

재건은 절실한 마음으로 인터넷을 죄다 뒤적였지만 허사였다. 얼마 지나지 않아 자신의 힘으로는 책을 구할 수 없으리라는 결론이 섰다.

"형, 식사 좀 하시면서 보세요."

"어, 그래."

드르륵!

수저를 들려는 참에 명석으로부터 전화가 걸려왔다. 재건은 연우에게 쓴웃음을 지어 보이며 다시 핸드폰을 잡았다.

"네, 편집장님."

−기사 보고 전화 한번 드렸어요. 오늘 리즈팅 선생님하고 데이트 즐거우셨어요? 하하하.

"그러게요. 저는 누가 보고 있는 줄도 전혀 몰랐거든요. 아, 저기 편집장님. 죄송한데 뭐 하나만 여쭤 봐도 될까요?"

−네, 그럼요. 말씀하세요.

"혹시 고 강병하 선생님의 종로 한가운데라는 장편 아세요?"

−으음…… 네, 전량 회수된 그 작품 말씀이시죠?

"네, 리즈팅 선생님께서 이 작품이 최고라고 칭찬을 하셔서요. 꼭 읽어보고 싶은데 구할 길이 없네요. 그래서 혹시나 해서 한번……."

재건이 말끝을 흐리기가 무섭게 명석의 대답이 돌아왔다.

−제가 한 권 가지고 있어요.

"네? 정말이세요?"

−뭘 그렇게 놀라세요. 서재에 있을 테니 한번 찾아볼게요.

"아, 정말 감사합니다. 편집장님, 정말 감동입니다."

−하하하, 그럼 다음에 저녁이나 한번 얻어먹겠습니다. 그럼 찾아보고 연락드릴게요.

"감사합니다, 편집장님. 기다리고 있겠습니다."

뚝!

재건과의 통화를 끝낸 명석은 즉시 서재로 향했다. 아버지 태진과 공용으로 쓰는 드넓은 서재였다. 5만 권 이상의 장서가 보관된 곳이었다. 사방천지 어딜 봐도 책이었다.

'이쯤에 있을 텐데…….'

명석은 흐릿한 기억을 좇아 서가 한구석을 샅샅이 살폈다.

그의 등 뒤로 문이 열리며 태진이 들어왔다.

"명석아, 저녁 먹어야지."

"네, 아버지. 책 한 권만 찾고요."

대답하면서도 명석은 두 눈과 손을 멈추지 않았다. 흥미를 느낀 태진이 가까이 다가와서는 물었다.

"나도 도와주마. 무슨 책인데?"

"아, 종로 한가운데요."

"종로 한가운데……?"

"고 강병하 작가 작품이요. 아버지도 아시죠?"

명석이 웃는 얼굴로 돌아보며 물었다. 태진은 굳은 얼굴로 목울대만을 한 번 울리고 있을 뿐이었다.

"그 책을 갑자기 왜 찾니?"

"하재건 작가가 찾아서요."

"뭐……?"

"리즈팅이 극찬한 작품이라 읽어보고 싶은데 구할 길이 없다고 하더라고요. 그래서 저에게 혹시 구할 수 있는지 부탁을 해왔어요. 아, 찾았다."

명석이 웃으며 낡은 책 한 권을 뽑아 들었다. 이윽고 책과 함께 돌아선 그의 얼굴에서 웃음이 지워졌다. 눈앞의 태진이 마치 귀신에 홀린 것처럼 멍하니 서 있는 것이 아닌가.

"아버지?"

"……."

"아버지, 왜 그러세요?"

"음……? 으음, 아니, 아무것도 아니다."

태진이 황망히 고개를 내저으며 대답했다.

아직도 쫓아내지 못한 추억의 편린들이 그의 머릿속에 산재해 있었다.

"금세 찾았구나. 이제 저녁 먹으러 가자."

"네, 배고프네요. 어서 가시죠."

온 가족이 함께 모여 저녁 식사를 하면서도 태진은 내내 의문을 떨치지 못하고 있었다.

재건은 이미 그의 마음 안에서 두 번 연속의 우연을 기록했다. '종로 한가운데'까지 합치면 총 세 번의 우연이다.

그날 밤.

태진은 잠을 이룰 수 없어 응접실 소파에 우두커니 앉아 있었다.

굵직한 빗줄기가 차창을 끊임없이 때려댔다. 태진 앞의 탁자에는 인삼을 품은 오래된 술병 하나가 놓여 있었다. 태진은 흔들리는 눈으로 술병을 끝없이 응시하고 있었다.

"회장님, 아직 안 주무셨습니까?"

"아, 구 실장. 고생했네. 이리 와서 앉게."

구 실장이 태진의 맞은편에 공손한 자세로 앉았다.

그의 나이 이제 40대 초반. 돌아가신 아버지의 일을 물려받아 2대째 태진의 수족이 되어주고 있었다.

"천둥이 요란해서 주무시다가 깨신 겁니까?"

"아니야, 그저 옛날 생각도 나고 해서……."

또 한 차례 섬광이 일었다.

뒤를 이어 귀를 멍하게 만드는 굉음이 세상을 울렸다. 소리가 잦아지길 기다려 구 실장이 말했다.

"저라도 상대로 괜찮으시다면 말씀하십시오, 회장님."

"특별히 말할 만한 것도 아냐."

입으로는 그렇게 말하면서도 태진의 두 눈은 이미 동요하고 있었다. 숨이 막히도록 속에 꽉 찬 기억을 토해내지 않고서는 배기지 못할 것 같은 밤이었다.

"오래전에……."

이윽고 태진이 가느다란 한숨과 함께 입을 열었다.

"오래전에 한 남자가 있었지. 소설을 쓰는 작가였어."

구 실장이 넥타이를 느슨하게 풀었다. 태진의 말이 짧게 끝나지 않을 것을 직감했기 때문이다.

"실로 글 쓰는 일밖에 모르는 사람이었어. 그리고 실제로 잘 썼지. 단편, 장편 가리지 않고 수없이 많은 작품을 썼어. 국내 유수의 문학상을 모조리 휩쓸었고, 나이 마흔 전후로 문단의 찬사를 한 몸에 받는 거성이 되었지. 현대 소설은 리얼리즘을 바탕으로 한 서사 양식인데, 그는 주제 의식이라든가 제재적인 측면에서 여타 작가들보다 압도적인……."

태진이 문득 말끝을 흐리더니 구 실장을 보며 웃었다.

"미안하네. 막상 말을 꺼내다 보니 나도 모르게……."

"아닙니다, 회장님."

"여하튼 대단한 작가였어. 동시에 교수였고 많은 제자가 그의 밑에서 공부했지. 그리고…… 스승은 여러 제자 중에서 한 사람을 특히 유별나게 아꼈어."

태진은 두 눈을 감고 잠시 할 말을 머릿속으로 정리했다.

"……편의상 그 제자를 A라고 해두지. A는 태생부터 작가라고 할 만한 청년이었어. 그의 생활은 모든 것이 글쓰기로 귀결되곤 했지."

이야기를 들으면서 구 실장은 문득 궁금해졌다. A라는 제자와 태진은 어떤 관계였을까 하고.

"A는 작은 사물 하나도 가벼이 지나치는 법이 없었어. 항시 관찰하고, 고민하고, 경험하고, 그것을 통해 체득한 단상을 글줄로 풀어내는 것이 일상이었어. 그토록 글밖에 모르던 스승마저 A 앞에선 명함을 내밀 수 없다고 스스로 인정했네."

"스승이란 분께서 그렇게 말씀하셨을 정도면 A란 분은 정말 어지간히 열심히 쓰셨던 게 아니었나 봅니다."

태진이 상체를 뒤로 젖히고는 고개를 가로저었다.

"열심히 썼다고 표현할 수준이 아닐세. A는 대학생이 되기 이전에 이미 3,000편 이상의 단편을 습작했을 정도였으니까."

"3,000편…… 이요?"

구 실장이 어이가 없어서 되물었다. 스무 살이 되기 전에 단편소설 3,000편을 습작으로 완성했다니. 하루도 쉬지 않고 매일 한 편씩 1년을 꼬박 써야 365편이 된다. 도무지 믿어지지가 않는 얘기였다.

"스승은 최선을 다해 제자를 가르쳤지. 어쩌면 A를 통해 열정적이었던 과거의 자신을 보고 기뻤을지도 몰라. A도 자신을 아끼는 스승의 마음을 헤아리고 전력을 다했어. 진심으로 스승을 존경했지. 조실부모했던 A는 스승을 친아버지처럼 여겼을 정도였어. 스승의 섬세한 지도와 조언에 따라 A의 글은 나날이 정교해졌지."

태진이 한 모금의 물로 타는 목을 달랬다. 이야기에 몰입한 구 실장의 두 눈은 그를 바짝 주시하고 있었다.

"A의 글은 대단했어. 관습처럼 굳어 있던 장르의 벽을 자유자재로 무너뜨리면서도, 심혈을 기울여 얻은 사소한 주제 하나도 놓치는 일 없이 소중히 했지. 그의 스승이 주어진 틀 안에서 보수적으로 최선을 다한 작가였다면, A는 그로부터 한발 더 나아가 자신만의 소설 세계를 구축했던 셈이지."

"그렇다면 스승보다 나은 제자가 나온 거로군요?"

"그래, 바로 그게 문제의 시발점이었던 것 같네. A가 껍질을 파괴하고 나온 순간부터……."

"……?"

또 한 차례의 섬광 뒤로 굉음이 울렸다. 태진의 얼굴에는 비바람 몰아치는 밤의 어둠이 한껏 드리워져 있었다.

"문득 스승은 깨닫게 된 것이지. 열과 성을 다해 가르친 제자가 어느새 자신보다 높은 경지에 올라섰다는 것을. 이제는 자신이 가르칠 게 아니라 오히려 배워야 할 입장이 되었다는 것을 말일세. 이때 스승의 기분은 어떠했을까?"

귀띔을 받은 구 실장은 잠시 고민했다.

끝내 대답을 망설이는 그에게 태진이 말을 이었다.

“앞서 말했듯이 스승은 언제나 최선을 다하는 사람이었다네. 하지만 전 세대를 답습한 고루하고 낡은 방식, 나아가 자신을 에워싼 테두리를 고집한 것이 흠이었지. 아니, 어쩌면 벗어나고 싶었지만 그 방법을 찾지 못했던 것일 수도 있어.”

“제가 글에 대해 잘 모르니 회장님 말씀에 대답을 드리기가 참 어렵습니다.”

“중요한 게 아니니 흘려듣게. 정말로 중요한 건…… 이 시기부터 제자를 향해 품었던 스승의 애정이 질시로 뒤바뀌게 되었다는 점이지. A가 조언을 구하려 찾아가도 갖은 핑계를 대며 피했고, 수업 중에도 눈길 한 번 마주치는 일이 없게 되었다네.”

“어쩐지 듣고만 있어도 몹시 안타깝습니다.”

“사정을 모르는 A는 몹시 심란해했지. 그저 자기 때문에 스승이 많이 피로하셨구나 하고 자책할 뿐이었어.”

태진의 두 눈이 테이블 위의 술병으로 옮겨갔다. 얼마간의 침묵 끝에 그는 구 실장에게 부탁했다.

“구 실장, 미안하지만 가서 술잔 하나만 가져와 주겠나?”

“네, 회장님.”

구 실장이 냉큼 작은 술잔 하나를 가져왔다. 태진은 술병 옆으로 잔을 끌어당기며 다시 입을 열었다.

"추운 겨울이 지나고 2학년이 된 어느 봄날, A는 겨우내 완성한 장편을 들고 스승을 찾아뵈었지. 마침 스승은 자리에 없었어. 별수 없이 A는 스승의 책상에 편지와 함께 자신의 원고를 놓고 돌아왔어. 추후 A의 원고를 읽은 스승은 경악을 금할 수 없었다네."

"설마…… 스승을 비방하는 내용의 소설이었던 건가요?"

"아니, 글이 너무도 훌륭해서. 여전히 끝을 모르고 성장하는 제자가 두려운 나머지 몸서리를 쳤던 거야."

"아아……."

"하지만 스승은 그러한 자신의 마음을 철저히 숨겼어. 나아가 자신을 향한 제자의 무한한 신뢰를 악용했지. 이 장편은 시작부터 철저히 잘못되었다고 혹독하게 비평을 가한 거야."

"그건 너무합니다……!"

구 실장이 저도 모르게 언성을 높였다. 태진은 씁쓸히 웃는 낯으로 흠뻑 젖은 차창을 돌아보고 있었다.

"A는 글은 잘 썼지만 너무도 순수했다네. 그저 존경하는 스승님의 말씀이시니 그러려니 생각하고 다음 작품에 매진했어. 부지런히 소설을 써서 스승께 보였고, 그때마다 매번 처참하게 무너졌지. 결국 그날 이후 졸업할 때까지 단 한 번도 스승의 인정을 받아내지 못했지."

"사람의 마음이란 참 무섭다는 생각이 듭니다. 그래서…… 그 이후엔 어떻게 되었습니까?"

"A가 교정을 떠나고도 수년 후, 스승은 오랜만에 장편 한 작품을 모 문학상을 통해 세상에 내보였다네. 실로 엄청난 반향을 불러일으켰지. 지금까지 쓴 모든 작품을 합친 것보다도 뛰어난 걸작이라는 평가였어."

이제는 구 실장도 이어질 이야기를 얼마간 예상한 바였다. 한없이 안색이 굳어진 그에게 태진이 나직이 덧붙였다.

"그래……. 이야기를 듣는 자네도 어느 정도는 짐작했겠지. 그건 A의 소설이었어. 4년 내내 A가 써서 바친 소설들을 하나로 그러모아 좋은 부분만 짜깁기하고, 그렇게 완성한 장편이었던 거야. 몇 부분은 아예 A의 단편을 통째로 가져다 썼다고 봐도 무방한 수준이었어."

"말도 안 됩니다……! 스승이 제자의 작품을 표절하다니! 그걸…… 그걸 A란 제자는 멀뚱히 보고만 있었던 겁니까?"

구 실장이 분개해서 물었다. 옳고 그름을 뚜렷하게 구분할 줄 아는 성향을 돌아가신 아버지로부터 물려받은 그였다. 이야기 속의 스승을 도저히 용서할 수가 없었다.

"A는 제 방 안에 틀어박혀 나오질 않게 되었지. 당시 걱정돼서 찾아간 문우들 말에 따르면 제정신이 아니었다더군. 온종일 초점 없는 눈으로 허공만 쳐다볼 뿐, 입 한 번 벙긋하지 않았다고 하네."

"당연히 충격을 받았겠지요. 저는 이해됩니다. 필시 스승이란 사람을 몹시 증오하게 되었겠지요?"

"과연 그럴까?"

태진이 묘한 어감의 반문으로 말을 받았다. 두툼한 그의 손길이 테이블 위의 술병으로 향하고 있었다.

"한동안 두문불출했던 A는 얼마 뒤 스승을 찾아뵈었다네. 선물은 직접 담근 한 병의 인삼주였지. 그의 스승이 가장 좋아하는 술이었으니까."

"……?"

구 실장의 시선이 태진의 얼굴에서부터 테이블 위의 술병으로 옮겨갔다. 눈앞에 놓인 이 술병도 안에 몇 뿌리의 인삼을 품고 있었다.

"A는 긴장한 스승에게 그 어떤 원망의 말도 하지 않았어. 그저 더 많은 배움을 찾아 떠날 예정이니, 앞으로 오래도록 찾아뵙지 못할 거라며 죄송하다는 이야기만 했어. 그 말과 함께 한 병의 술을 남기고 스승께 작별을 고했던 것이지."

태진이 술병의 뚜껑을 땄다. 수십 년 만에 개봉된 술병 밑바닥에서부터 세월의 그윽한 향취가 뿜어져 나오고 있었다.

"스승은 살아생전 A가 준 술에 손 한 번 대지 않았어. 이해할 수 없었거든. 자기 글을 도둑질한 스승을 원망하기는커녕 오히려 스승이 좋아했던 인삼주를 선물로 주고 간 이유를 말이야."

"회장님, 혹시……?"

"다른 한 제자는 스승의 임종을 지켜보았지. 스승은 숨을 거두기 전 혼미한 정신으로 그 제자에게 고백했어. 감히 그 술을 마셔볼 용기가 나지 않았다고 말일세. 결과가 어느 쪽이든 감당할 자신이 없었던 거야. 결국 스승이 돌아가신 후, 술은 그 제자가 자처해서 도맡게 되었지."

구 실장은 반쯤 넋이 나간 상태였다. 태진이 술병을 들어 잔에 따르고 있다는 것조차 인지하지 못하고 있었다.

이윽고 자신이 모시는 회장님 또한 그 스승의 제자 중 한 사람이었음을 확신하고 나서야 그는 정신을 차렸다.

"회, 회장님? 드시면 안 됩니다!"

구 실장이 기겁해서 자리를 박차고 일어섰다.

태진은 이미 한 잔의 술을 쭉 들이마시고 있었다. A가 어떤 인격을 지닌 사람인지 누구보다도 잘 알기에 거리낄 것이 없었다.

"걱정하지 말게."

다 마신 잔을 내려놓고서 태진이 손사래를 쳐 보였다.

"아무 일도 없을 테니까."

"하, 하지만 회장님……! 그 술은 어쩌면……!"

태진의 입가에 가느다란 미소가 번졌다. 한없이 편안하면서도 애틋한 웃음이었다. 머리로는 옹졸한 스승이 품을 수 없을 만큼 크고 찬란했던 오랜 벗을 떠올리고 있었다.

"오늘따라 그 친구의 얼굴이 제대로 생각나지 않는군. 마치 저 젖은 창을 통과해서 보는 것처럼……."

태진이 자신에게만 들릴 정도로 작게 중얼거렸다. 그리고는 잠시 후, 술병을 들어 구 실장에게도 권했다.

"술맛이 참 좋은데 자네도 한잔할 텐가? 지금까지 내가 했던 말은 죄다 농담일세."

"회장님……."

반신반의한 구 실장이 눈치를 보면서도 정중히 술을 받았다.

술병을 내려놓은 태진은 소파에 등을 기댄 채 입에 남은 씁쓸한 잔향을 음미하고 있었다.

76장
가난한 작가의 일상

"네, 혜상 씨. 안녕하세요."

재건이 당구공을 때리려던 큐대를 거두고 전화를 받았다. 테이블 너머에 서 있던 정진이 놀라서 쳐다보고 있었다.

"별일 없습니다. 네, 아무래도 8월이라 날씨가 엄청 덥죠. 아, 기사 보셨구나. 축하해 주셔서 고맙습니다. 일단 중국 쪽이라서 저는 아직 실감이 안 됩니다. 판매량 같은 것도 좀 지나봐야 알게 될 것 같고요."

정진이 다가와 입술을 달싹이며 '아나운서 박혜상?'이냐고 물었다. 재건이 고개를 끄덕여 보이자 그는 뒤로 나자빠지려는 시늉까지 해 보였다.

"네, 그즈음 라디오 방송은 한번 하려고요. 겨자 목욕탕 개봉될 때 맞춰서요. 그때 뵙고 저녁 식사도 하면 되겠네요.
알겠습니다. 그럼 나중에 뵙겠습니다.”

재건이 전화를 끊자마자 정진이 팔을 부여잡고 물었다.

“야, 뭐야? 진짜 EBC 아나운서 박혜상이야? 꽃미모 박혜상이랑 저녁 식사를 한다고?”

“그간 내가 신세 진 것도 많고 해서 한번 대접하려고.”

정진이 제 머리를 두 손으로 부여잡고 신음을 터뜨렸다.

“와…… 진짜 한 방에 보이네! 소설이고, 게임이고, 영화고, 중국 진출이고, 나발이고 간에, 어?! 줄기차게 뜨는 것보다 박혜상 전화 한 통이 실감 대박이야. 우리 하재건이 진짜 언제 이렇게 뜬 거야?”

“호들갑 좀 떨지 마. 내 차례지?”

“야, 지금 당구가 문제냐? 아, 진짜 부럽다, 하재건. 나도 박혜상이랑 저녁 식사 한 번만 해보면 소원이 없겠다.”

“너 효진이한테 이른다.”

따악!

당구공이 경쾌한 소리를 내며 뻗어 나갔다. 한 끝 차이로 목표물을 건드리지 못하고 돌아온 공을 보며 재건은 입맛을 다셨다.

“초칠을 너무 많이 해서 미끄러웠나.”

“꼭 기술 없는 것들이 장비 탓을 해요. 너처럼.”

정진이 혀를 끌끌 차며 당구공을 가격했다.

말끔하게 쓰리쿠션을 성공시키고 그는 주먹을 불끈 쥐어 보였다.

“내가 이겼지? 저녁 생선회 쏴라.”

“비 오는 날 회는 무슨. 야, 생각난 김에 효진이도 불러. 셋이서 먹자.”

“헤헤, 그럴까?”

정진이 즉시 전화를 걸었다. 효진은 바로 준비하고 나가겠다면서 간단히 수락했다.

“너 효진이한테 언제 고백할 거냐? 과장 승진하고 나서 바로 고백한다고 하지 않았어?”

“그러게. 너랑 수희보단 빨리 사귀게 될 줄 알았는데. 타이밍 잡기가 영 힘드네.”

정진은 재건과 수희 사이를 아는 몇 없는 사람 중 하나였다. 재건의 입을 통해 처음 그 사실을 들었을 때도 별반 놀라워하지도 않았다. 언젠가는 둘이 사귈 줄 알게 되었다는 식이었다.

“내년이 서른인데 아깝다, 하재건. 1년만 더 참았으면 마법사 되는 거였는데.”

“뭔 헛소리야, 또.”

“생각해 보니까 박혜상이든 누구든 너한테 관심 있어도 아무 문제가 없네. 수희가 압도적인 여신인데."

"그건 그렇지?"

"바로 실실거리면서 좋아하는 거 봐라. 아무튼 그래도 루머 안 터지게 조심해. 너는 당당하더라도 대만에서 뉴스로 접할 수희는 기분 상할지도 모르잖아."

"그래, 알았다. 조심할 거야."

드르륵!

테이블 위에 놓아둔 핸드폰이 몸을 떨었다. 모르는 번호였다. 언론사의 취재 요청이 아닐까 싶어서 망설이던 재건은 결국 전화를 받았다.

"여보세요?"

–안녕하세요…….

재건은 핸드폰을 귀에 붙인 채로 굳듯이 섰다. 참으로 오랜만에 듣는 목소리였지만 한 번에 알 수 있었다.

–잘 지내셨어요……?

가느다란 목소리가 위태롭게 흔들리고 있었다. 이름을 말하지 못하는 건 괜한 죄책감 때문일까. 재건은 상념에서 벗어나 말을 받았다.

"잘 지냈어요. 예슬 씨는요?"

–저도 작가 오빠 덕, 아니…… 죄송해요. 작가님 덕분에 잘 지내고 있어요.

"편하게 예전처럼 불러도 돼요."

—예전에도 대단하신 분이라는 건 알았지만, 배우 생활 시작하고 나니 정말 실감했어요. 그래서 오빠라고 부르기가 좀 어려워진 기분……. 막 이래…….

재건이 피식 웃었다. 예슬 특유의 말투가 여전해서 반가웠다. 그는 정진에게 손짓으로 양해를 구한 뒤 자리를 옮기며 통화를 이어갔다.

"소녀 전쟁 재미있게 봤어요."

—아, 부끄럽다…….

"연기력 좋던데요. 그때 예슬 씨 다시 봤습니다."

—처음이고 경험도 없어서 막, 감독님 시키시는 대로 열심히만 했어요. 좋게 봐 주셔서 감사해요.

"겨자 목욕탕도 기대하고 있어요."

—…….

대화가 끊기고 정적이 흘렀다. 재건은 잠자코 이어질 말을 기다렸다. 이윽고 얄따란 한숨이 그의 귓가를 간질였다.

—별로 안 놀라시네요.

"가끔 생각하고 있었거든요. 예슬 씨로부터 연락이 올 때가 슬슬 되지 않았나 하고."

—연락 늦게 드려서 정말 죄송해요.

"사과할 일은 아니에요."

—성공한 뒤에 멋지게 오빠야한테 찾아가고 싶었는데, 그래서 지금까지 연락 못 하고 있었던 건데…….

"이해합니다."

—오늘 윤태성 감독님께 들었어요. 틴센트 픽처스에서 연락 왔다고, 저 질풍노도 여주인공 오디션 보게 생겼다고…….

"아, 그래요? 정말 잘됐네요."

—모르는 척 대박. 오빠야가 해준 거면서……. 얘기 다 들었거든요? 오빠야가 틴센트 픽처스 쪽에 저 추천해 주셨다는 거.

재건이 머쓱해져 콧등을 살짝 울렸다. 화제를 전환할 겸 그는 과거의 기억을 떠올리고 물었다.

"목걸이 언제 찾아갈 거예요?"

—아…… 조금 더 맡아주실 수 있을까요?

"언제까지요? 이젠 예슬 씨 충분히 당당해졌잖아요."

—아직 아니에요. 아직은……. 그러니까 좀만 더 오빠가 맡아줬음 좋겠어요.

"나랑 만나기 싫다는 말처럼 들리네."

—그, 그런 거 아니거든요?

고작 농담 한마디에 당황해서 말까지 더듬는 예슬이었다.

—오빠야 보고 싶은데 너무 바쁘실 테니까 막, 사실 지금 이렇게 전화 드린 것도 죄송하고 그럴 정돈데, 그래서 그런

거지…… 제가 왜 오빠야 안 만나고 싶겠어요.

"농담 한번 해봤어요. 예슬 씨가 생각하듯이 밥 먹을 시간도 없을 만큼 바쁜 거 아니니까 연락하고 싶을 때 연락하세요."

—정말 고마워요, 오빠. 모자란 저 여러모로 신경 써주시고…… 오빠한테 받은 은혜들 평생토록 못 갚을 거예요.

"예슬 씨 재능 덕분에 잘되는 거지 제 힘이 아니에요."

정진이 다가와 손목시계를 가리켜 보였다. 재건은 고개를 끄덕이고는 핸드폰에 대고 말했다.

"오늘은 이쯤에서 끊어야겠네요. 친구랑 같이 저녁 먹으러 나가야 해서요."

—아, 죄송했어요. 그럼 제가 나중에 다시 연락드릴게요. 저녁 맛있게 드세요, 오빠.

"네, 예슬 씨도요."

재건이 전화를 끊고 몸을 일으켰다. 정진은 넌더리가 난다는 듯 고개를 좌우로 내젓고 있었다.

"또 여자냐? 이번엔 누구냐? 가수? 배우?"

"배우야."

재건은 짤막하게 답하고 말아버렸다.

'너도 아는 여자'라고 덧붙이지 않은 건 예슬의 미래를 위해서였다. 그녀의 어두웠던 과거는 무덤에 들어갈 때까지 입

밖으로 꺼내지 않을 생각이었다.

BIG LIFE

"정말 고맙습니다. 최대한 깨끗하게 읽고 바로 돌려드리겠습니다."

재건이 싱글벙글한 표정으로 말했다. 한껏 색 바랜 낡은 책 한 권이 그의 두 손에 쥐어져 있었다.

무더운 여름의 한낮이었다. 땡볕이 내리쬐는 세상에서 아지랑이가 스멀스멀 피어오르고 있을 정도였다.

에어컨이 가동되고 있는 도심의 카페 안은 쾌적했다.

"선물로 드리겠으니 하 선생님이 맡아주세요."

맞은편의 명석이 말했다.

재건은 기겁해서 고개를 들었다.

"이 희귀본을 저한테 주시겠다는 말씀이세요? 이렇게 귀한 걸 어떻게……."

"찾아주는 사람이 있어야 비로소 책도 가치를 발하는 법이니까요. 서재 깊숙한 곳에 박아두고 오래도록 찾지 않았던 책입니다. 부담 갖지 마시고 받아주세요."

"정말 감사합니다. 점심 같이 드시죠, 편집장님. 뭐든지 말씀하세요. 제가 특급으로 모시겠습니다."

"하하, 그럴까요? 제가 그럼 오늘 하 선생님 지갑을 아주 얄팍해지도록 만들어 드리겠습니다."

두 사람이 함께 웃음을 터뜨렸다. 뒤이어 명석은 한 모금 마신 커피 잔을 내려놓으며 말을 이었다.

"선생님은 이제 또 많이 바빠지시겠습니다."

"딱히 그럴 것 같지도 않습니다. 질풍노도 영화 시나리오랑 오스카의 던전 말고는 써야 할 글도 없고요. 저보다는 제 주변분들이 훨씬 바쁘시죠."

재건은 눈앞의 명석을 비롯해 수많은 조력자의 얼굴을 떠올리며 말을 계속했다.

"요즘 기분이 묘해요. 저는 가만히 있는데 일은 다 알아서 척척 진행되고 있어서요."

"무슨 말씀이신지 알 것 같습니다."

"겨자 목욕탕은 게임이랑 영화로 만들어지고, 오스카의 던전은 틴센트 통해서 중국 쪽으로 번역돼서 소설도 나가고, 미국 쪽 시장은 바다가 있었다에 이어서 편집장님께서 또 맡아주실 거고……. 이렇게만 쭉 나열해도 남들이 보기엔 엄청 바빠 보일 여지가 있잖아요. 근데 정작 원작자인 저는 상당히 한가하거든요."

"이런, 너무 한가하시다면 차기작을 쓰시는 건 어떻겠습니까?"

명석이 웃으며 농담조로 물었다.

재건은 잠시 고민한 끝에 조심스레 입을 열었다.

"사실 조금씩 쓰고 있습니다."

"아, 정말이세요?"

명석이 두 눈을 동그랗게 뜨며 상체를 꼿꼿이 폈다. 웅성의 편집장인 그로서는 특히나 재건의 차기작에 더더욱 관심을 가질 수밖에 없었다.

"네, 사실 습작 삼아 시작한 기분도 있고 해서 저희 아버지 말고는 누구에게도 얘기하지 않았어요. 그런데 쓰다 보니 분량이 꽤 되기도 했고, 편집장님께는 아무래도 말씀을 드려놓는 편이 좋을 것 같네요."

"어떤 내용입니까? 당장 읽어보고 싶네요."

"피카레스크식 단편집입니다. 시장을 배경으로 다양한 인물이 나와요. 한번 훑어보시겠어요?"

"아, 지금 있으세요? 당장 보고 싶습니다."

재건이 가방에서 태블릿 PC를 꺼내 들었다. 원고 파일을 화면에 불러들인 다음 그는 명석에게 건네며 덧붙였다.

"이제 겨우 두 편 썼어요. 한번 검토 부탁드립니다."

명석이 태블릿 PC를 받아 들고 화면으로 눈을 가져갔다.

'시장과 사람들'이라는 제목이 가장 먼저 보였다. 그 아래로는 첫 번째 단편 '시장의 경비원', 그리고 두 번째 단편 '시장의 찹쌀떡 판매원'이라는 제목이 이어지고 있었다.

"으음……."

"왜 그러시죠?"

"아닙니다. 그럼 읽어보겠습니다."

안경을 고쳐 쓴 명석이 즉석에서 두 단편을 읽어 내려가기 시작했다. 분량이 길지 않았기에 서두르지 않고 정독했다.

'마음고생이 심하셨군.'

첫 번째 단편을 다 읽기 전에 명석은 알아차렸다. 재건이 무슨 심정으로 이러한 소설을 쓰기 시작했는지.

재건의 아버지가 그랬듯이 단편에 등장하는 경비원도 새 건물주에게 뺨을 맞고 있었다.

명석은 금세 첫 번째 단편을 전부 읽고 두 번째 단편으로 돌입했다. 이번에는 찹쌀떡을 팔러 다니는 남자의 이야기였다. 갑의 횡포에 힘겨워하면서도 삶의 희망을 놓지 못하는 인물이라는 점이 앞선 경비원과도 꼭 같았다.

'좋은데…….'

어느 순간 명석은 무심코 고개를 주억거렸다. 이번에도 재건의 작품은 실망스럽지 않았다. 소박하고 잔잔한 문장이 여과 없이 가슴으로 스며들고 있었다.

"정말 잘 읽었습니다."

이윽고 전부 읽고 난 명석이 고개를 들었다.

"제 느낌은 아주 좋습니다. 첫 번째 단편과 두 번째 단편이 등장인물은 다른데, 또 같은 공간이라 이야기가 유기적으로 연결이 되는 것도 재미있네요."

"감사합니다. 솔직히 별로라고 하실까 봐 내심 걱정하고 있었습니다."

"총 몇 편이나 쓰실 예정이신가요?"

"대략 10편에서 12편 정도를 생각하고 있습니다. 사실 근데 좀 막혔어요. 각 단편의 주인공을 정하는 게 생각보다 쉽지가 않더라고요. 직업도 직업이지만 그 직업과 현실의 고난이 자연스럽게 시장을 배경으로 연결됐으면 하거든요. 그런 걸 나타내는 게 참 어렵습니다."

"서두르지 마시고 천천히 생각해 보세요. 하 선생님 글 잘 쓰시는 거 세상이 다 아는 사실이니 저는 걱정 안 합니다."

명석은 그렇게 재건을 격려하더니 뒤늦게 생각났다는 표정으로 손가락을 튕겼다.

"지금 그냥 생각이 났는데 창작자도 한 명 넣는 건 어떨까요?"

"창작자요?"

"네, 소설이든 만화든 영화든 이쪽에 종사하는 직업군 말입니다. 가난한 작가의 일상을 그려보시는 것도 나쁘지 않을 것 같습니다."

명석이 탁자를 손가락으로 또드락거리며 말을 이었다.

"다만 작가 캐릭터를 잘 잡으셔야 할 것 같습니다. 사지 멀쩡한 사람이 일도 안 하고 글만 쓰고 있으면 아무리 가난하고 힘들더라도 독자들의 공감을 얻어내기가 쉽지 않을 거거든요."

"저도 그렇게 생각해요. 으음, 편집장님 말씀 좋네요. 가난한 작가 캐릭터 한번 잡아봐야겠습니다."

재건이 벌써부터 생각에 빠져들고 있었다. 명석은 방해하지 않고 가만히 기다려 주었다. 창밖의 거리로 점심을 먹으려는 직장인들이 쏟아져 나오기 시작했다.

BIG LIFE

"뭐야, 전화가 왜 정지됐어?"

핸드폰을 거둬들이는 태성은 어리둥절한 얼굴이었다.

'겨자 목욕탕' 촬영 현장 마지막 날이었다. 오랜만에 대학 시절 친했던 동기에게 전화를 건 참이었다. 하지만 돌아오는 목소리는 동기의 것이 아닌 기계의 안내음이었다.

"이상하네. 나한테 말도 안 하고 번호를 바꿀 리도 없고."

혼잣말을 중얼거리고 있자니 이런저런 근심이 밀려들었다. 그와 마찬가지로 동기도 대학 시절부터 영화감독을 꿈

꿨다. 하지만 태성과 달리 동기는 여전히 그 꿈을 이루지 못하고 있었다.

'무슨 일이 있는 건가.'

태성은 오래전 찾아갔던 동기의 집 주소를 떠올리려 기억을 더듬었다. 허름한 주택의 지하 단칸방이었다. 습기로 눅눅한 풍경이 눈앞에 아른거리는 듯했다. 그땐 동기나 태성이나 산다는 것이 무척 힘든 시절이었다.

"정리 좀 해주세요. 저 잠시 어디 좀 갔다 오겠습니다."

생각 끝에 태성은 자리에서 일어섰다. 그냥 잊어버리고 넘어갈 수 있는 동기가 아니었다. 그는 즉시 자신의 차에 올라 시동을 걸었다.

목적지인 신림동까지는 오래 걸리지 않았다.

태성은 근처 유료 주차장에 차를 대고 내려섰다. 구불구불 이어진 골목으로 차를 끌고 진입하기가 어려워서였다.

"여기쯤이 맞았던 것 같은데……."

태성은 기억을 더듬으며 구옥들이 즐비한 골목길을 이리저리 지나쳤다. 한참 만에 눈에 익은 주택을 발견한 그는 반가운 미소로 걸음을 재촉했다.

"여기 맞네."

잔뜩 녹슨 대문을 열고 들어서니 기억이 확연하게 되살아났다. 태성은 마당 구석 끝의 계단을 밟아 아래로 내려갔다.

그리고 단칸방의 문을 손으로 두드렸다.

"은하야, 있어? 나 태성이야."

돌아오는 대답은 아무것도 없었다. 다시 문을 두드리고 불러봤지만 허사였다. 문 너머로는 오로지 침묵뿐이었다.

태성의 손이 문고리로 향했다. 혹시나 싶어 돌려보니 문은 열려 있었다. 어쩐지 불길한 예감이 든 그가 문을 열어젖혔다. 어두운 단칸방의 풍경이 한눈에 들어왔다.

"어? 이은하!"

방 한구석에 한 여자가 죽은 것처럼 엎어져 있었다. 태성의 소중한 동기 이은하였다. 식겁한 태성은 신발을 벗지도 못하고 방 안으로 뛰어들었다.

"야, 은하야! 이은하! 정신 좀 차려봐!"

바로 눕히자 피골이 상접한 얼굴이 드러났다. 팔다리는 깡말랐고 숨결은 당장에라도 끊어질 것처럼 미약했다. 태성은 한눈에 심각한 영양실조 상태라는 걸 알아볼 수 있었다.

"너 이 자식, 이 지경이 되도록 왜 나한테 연락을 안 해!"

태성은 자존심 빼면 시체인 동기를 업고 일어섰다. 어린아이처럼 가벼워서 눈물이 나올 것 같았다. 바쁘다는 이유로 그간 연락을 소홀히 했던 것이 지독히도 후회되는 순간이었다.

"누구세요?"

은하를 업고 나오는 태성을 50대의 여주인이 가로막았다. 표정에서 경계심이 바짝 배어나고 있었다.

"친굽니다. 몸이 안 좋은 것 같아서 병원 데려갑니다."

"그래요? 지금 월세 두 달째 밀렸는데 어떻게 하려는 건지 깨어나면 좀 물어봐 줘요."

태성이 어금니를 악물고 여주인을 노려보았다. 뒤이어 지갑에서 100만 원짜리 수표 한 장을 꺼내 그녀의 손에 거칠게 쥐어주고는 내뱉었다.

"인간적으로 상황 좀 봐가며 말하고 삽시다."

"아니, 내가 뭘 어쨌다고……."

"아, 비키세요."

태성은 은하를 등에 업고 온 길을 거슬러 내달렸다. 거친 숨을 몰아쉬면서도 그는 달리는 두 발을 늦추지 않았다.

주차된 차가 멀찍이 보일 즈음, 등에 얼굴을 묻고 있던 은하가 정신을 차리고 두 눈을 떴다. 상대가 태성이라는 걸 금세 깨달은 그녀는 자조하듯 쓰게 웃으며 다시 눈을 감았다.

"영양실조로 인한 빈혈이고요. 수액 맞고 댁에 들어가셔서 식사 잘 챙겨 드리세요."

"고맙습니다."

태성이 침대 옆 의자에 앉으며 안도의 한숨을 내쉬었다.

은하는 링거를 꽂은 채로 죽은 듯이 누워 있었다. 보기보다 심각한 합병증은 없어서 그나마 다행이었다.

'그렇게 예뻤던 놈이…….'

깡마른 은하를 보고 있자니 자책감이 밀려왔다. 남자가 생겼다던 말도 거짓이었음을 이제야 깨달았다. 동정받기 싫어하는 성격상 무리는 아니라고 생각되면서도 울화가 치미는 태성이었다.

"……고마워."

은하가 메마른 입술을 달싹이며 말했다.

태성은 흠칫 몸을 떨며 고개를 들었다.

"정신 들었어?"

"아까 업혀올 때부터 깨 있었다. 기력이 없어서 가만히 있었지. 나 무거웠냐?"

"무거울 턱이 있겠냐? 수수깡인 줄 알았다."

"체력 좋아졌네, 윤태성. 돈 잘 버니까 잘 먹나 봐."

살며시 두 눈을 뜨며 은하가 웃었다. 태성은 웃지 않았다. 불만스럽게 코를 울리며 면박부터 던졌다.

"요즘 세상에 영양실조로 쓰러지는 게 말이 되냐?"

태성은 마지막으로 만났을 때 은하가 쓰고 있던 '보리수나무' 시나리오를 떠올렸다. 당시 은하는 그 시나리오로 3,000만 원의 고료를 받기로 돼 있었다. 그리고 영화는 아직까지

만들어지지 않았다. 지금까지 제작 이야기가 없다면 엎어졌다고 보는 게 옳았다.

"너 보리수나무 계약금 받은 걸로 여태까지 버틴 거지?"

"……."

은하는 침묵으로 대답을 대신했다.

계약금은 전체 고료의 10% 전후인 것이 영화계의 관례다. 나머지 금액은 영화가 완성돼야 받는다. 제작이 무산되면 수년간 피를 토하며 작업한 결과물은 한순간에 무용지물이 되어버리고 마는 것이다.

"잠깐 쉬고 있어라."

태성이 자리에서 몸을 일으켰다. 그에게는 당장 처리해야 할 중요한 일이 있었다.

"어디 가?"

"처리할 일이 있었는데 급하게 오느라 못 했어. 길어야 두 시간이면 오니까 누워 있어."

태성은 은하를 놔두고 서둘러 병실을 나섰다. 그리고 자신이 말한 대로 2시간이 지나지 않아 다시 돌아왔다. 마침 은하의 수액도 거의 다 들어간 참이었다.

"일어날 수 있겠어?"

"장난하니? 누가 봄 죽을 병 걸린 환잔 줄 알겠네."

은하가 기어이 홀로 일어섰다. 비틀거리는 걸음걸이가 위태로워서 태성은 조마조마한 심정이었다.

"오늘 신세는 내가 꼭 갚을게. 조만간 계약금 받으면."

"시끄럽고 타기나 해."

"올, 애프터까지? 집에 데려다주려고?"

"나만 말할 거니까 넌 입 다물어라."

태성이 은하를 조수석에 태우고 차를 출발시켰다.

병원을 벗어나 한동안 달렸을 때, 은하는 문득 창밖을 보고 눈살을 찌푸렸다. 자신이 살던 곳으로 가는 길이 아니었던 것이다.

"지금 어디로 가는 거야?"

"우리 집."

"너네 집으로 간다고?"

"집에 가서 밥 먹자고."

이때까지만 해도 은하는 대수롭지 않게 생각했다. 하지만 막상 태성의 아파트에 도착해 현관문을 열었을 때, 그녀는 할 말을 잃고 멍해져 버렸다.

"이게 다…… 뭐야?"

거실에 즐비한 세간이 자신의 물건이라는 걸 뻔히 알면서도 은하가 물었다. 단칸방에서 사용했던 몇 없는 가구가 전부 태성의 집으로 옮겨진 것이다.

"한동안 여기서 지내."

태성이 선고를 내리듯 말하고 한발 먼저 거실로 올라섰다.

"있을 거 다 있으니까 불편한 거 없을 거야. 저기 주방 옆쪽으로 있는 방 써. 개인 화장실도 방 안에 딸려 있어."

태성은 말하는 내내 돌아보지 않았다. 사실은 은하와 눈을 마주치기가 조금 무서웠다. 화가 났다는 이유로 한마디 의논조차 생략하고 제멋대로 행동한 것이 사실이니까.

"……."

은하는 우두커니 서서 말이 없었다. 신발을 벗지도 않고 한 손으로 벽을 짚은 채 미동조차 없었다.

태성은 그녀의 물건을 하나씩 들어 방으로 옮기기 시작했다.

"계속 거기 서 있을래? 들어와서 커피라도 끓여주지?"

"야, 윤태성."

"말해."

은하가 고개를 천천히 들었다. 두 눈 가득 고여 있던 눈물이 중력을 견디지 못하고 뺨 위로 흘러내렸다. 그녀의 우는 모습을 처음 보는 태성은 내심 경악했다.

"너 내가 자존심에 스크래치 나서 지랄 발광할 줄 알았지?"

"야, 이은하……."

"착각하지 마. 나 지금 그딴 객기 부릴 여유 하나도 없거든? 너 아주 노숙자한테 된통 걸린 거거든? 내가 아주 여기 죽치고 살면서 너 세간 전부 거덜 낼 거거든?"

"얼마든지 그렇게 해라."

은하가 한 손을 들고 얼굴을 감쌌다. 흐느끼는 그녀를 놔둔 채로 태성은 묵묵히 짐을 옮겼다. 수많은 자양분이 되어줬던 그녀에게 이제는 자신이 힘을 보태줄 때가 됐다.

77장

들리지 않았어요

"남 이사님이랑 저녁을 먹었다고?"

"뭘 그렇게 놀라?"

침대에 누워 있던 재건이 놀라서 상체를 벌떡 일으켰다. 손에는 이제 막 첫 장을 펼친 '종로 한가운데'가 쥐어져 있었다.

"전에 도와주신 것도 있고 너무 고마워서 저녁 한번 대접해 드린다고 했었어. 근데 오늘도 내가 못 냈네."

재인이 가벼운 한숨을 토하며 침대 끝머리에 앉았다.

재건은 새삼 누나의 모습을 훑어보았다. 헤어스타일과 화장, 그리고 원피스까지 평소보다 신경 쓴 흔적이 역력했다.

"꾸미니까 다르긴 다르네. 평소에도 좀 이러고 다녀,

누나.”

“너 지금 뭐라 그랬냐? 죽을래?”

“저녁은 맛있게 먹었어?”

“맛있긴 했지. 근데 조금 부담스럽더라. 호텔 레스토랑이었는데 그렇게 고급스러운 곳 처음 가 봤다. 분위기에 기겁하고, 메뉴판 가격 때문에 기겁하고…….”

호들갑 끝으로 재인은 살포시 미소를 짓고 있었다.

“그래도 금세 편안해졌어. 남 이사님이 세세히 배려해 주셔서 마음도 편했고. 그분, 인상이랑 다르게 의외로 센스가 좋으시네.”

“좀 날카로운 데가 있어서 그렇지 알고 보면 진짜 괜찮은 분이야. 그래서 무슨 얘기했어?”

“그냥 뭐 이것저것? 되게 힘드신가 봐. 슬슬 결혼할 나이가 돼서 집에서 엄청나게 성화라고 하시더라. 진짜 많이 힘들어 보였어.”

“그래서 누나는?”

“좋은 여자분 꼭 만나실 수 있을 거라고 위로해 드렸지.”

재건은 어처구니가 없어서 멍하니 재인을 쳐다보았다. 이건 두 사람이 잘되고 말고를 따지기 이전의 문제였다. 규호 같은 사람이 한가해서 누나와 저녁을 먹었을 리가 없는 것이다.

"왜 그렇게 쳐다보는데?"

"사람이 어떻게 이렇게까지 둔감할 수가 있지?"

"내가 뭘?"

"상식적으로 생각을 좀 해봐, 누나. 남 이사가 어떤 사람인데 누나하고 그런 곳으로 저녁을 먹으러 가자고 했겠어?"

재인이 두 눈을 치켜뜨고는 곰곰이 생각했다. 이내 동생이 말한 바의 의미를 깨달은 그녀는 손을 내저으며 헛웃음을 터뜨렸다.

"농담하지 마. 그게 말이 되니?"

"말이 안 될 건 뭐야?"

"야! 그런 엄청난 재벌가 자제분께서 나 같은 노처녀를? 아서라, 정말 아서라. 헛말은 적당히 하시지요, 하재건 작가님."

"진짜…… 나도 눈치 없다는 소리 곧잘 듣지만 누나 정도는 아니야. 누나는 상태가 심각하다고. 또 만나자는 말 없었어?"

"오늘도 자기가 냈으니까 다음에는 나한테 얻어먹겠다고 하시더라."

"그것 봐, 그게 누나를 또 만나려는 빌미잖아."

"빌미는 무슨 빌미. 원래 내가 사기로 했던 건데 못 그랬으니까 다음 기회로 미뤄진 것뿐이지."

"와, 답답해서 미쳐 버리겠네."

재건이 머리를 헝클며 침대 위로 벌러덩 드러누웠다. 귓불에서 귀걸이를 떼어내며 재인이 물었다.

"근데 넌 오늘 왜 집에 내려와 있는 거야?"

"내일 수목원 데려가 달라고 부탁한 사람이 누구였더라? 알았어, 나 지금 올라갈게."

재건이 짐짓 삐친 척 일어서려는 시늉을 했다.

재인은 나머지 한쪽 귀걸이를 떼다 말고 동생을 와락 끌어안았다.

"내 정신 좀 봐. 누나가 와인 몇 잔 마셨다고 잠깐 깜박했다. 우리 위대한 하 작가님이랑 한 약속인데. 잘못해쪙, 잘못해쪙."

"나한테 애교 부리지 말고 좋은 남자 만나서 부려. 누나부터 시집가야 나도 장가갈 거 아냐. 아, 숨 막혀. 빨리 가서 씻어."

"머리 컸다고 힘으로 밀어내는 것 봐. 건방져, 하재건. 더럽고 치사해서 간다, 가."

재인이 문을 열고 방을 나갔다. 재건은 피식 웃으며 다시 세상에서 가장 편안한 자세로 고쳐 누웠다.

'진짜로 남 이사님이 누나한테 마음이 있나?'

재인 앞에서는 세게 밀어붙였으면서도 이제 와서는 또 납득이 안 가는 재건이었다.

아무리 생각해도 답이 나오지 않았다. 그는 더 생각하기를 그만두고 내려두었던 '종로 한가운데'를 다시 손에 잡았다.

'내용이 머리에 안 들어오네.'

규호와 재인의 일 때문인지 집중이 제대로 되지 않았다. 재건은 애써 잡념을 떨쳐 내며 이어지는 문장을 줄줄이 두 눈에 새겨 넣었다.

'으음……?'

30페이지 정도를 읽었을 때 문득 기묘한 감각이 밀려왔다. 색 바랜 종이마다 묻어 나오고 있는 것은 생소하면서도 한없이 낯익은 느낌이었다.

'흠, 내가 이걸 읽은 적이 있었나?'

재건은 고개를 갸우뚱거리며 계속해서 소설을 읽어 나갔다.

'종로 한가운데'의 주인공은 가난한 소설가다. 시골에서 상경한 주인공은 종로의 한 허름한 방에 자리를 잡고 문우들과 교류하며 소설을 쓴다. 그 과정에서 쓰라린 우정과 가슴 떨리는 사랑을 맛보며 성장하는 주인공의 삶이 소설 전반에 걸쳐 표현되고 있었다.

'아무리 생각해도 이상해……!'

소설의 중반쯤에 다다랐을 무렵.

재건은 가만히 누워 있지 못하고 몸을 일으켜 앉았다.

뇌리 깊숙한 곳에 잠들어 있던 기억이 똬리를 틀고 있었다. 난생 처음 읽고 있는 소설 '종로 한가운데'의 내용이었다.

'이다음은…… 주인공이 종로를 떠나기 전 다방에서 그녀를 만나는 장면이야……!'

페이지를 넘긴 재건은 자신의 추측이 맞았음을 확인했다. 사랑하는 여자와 다방에서 만난 주인공이 이별을 고하고 있는 장면이었다.

'내가…… 내가 이걸 어디서 읽었던 거지?'

재건은 한없이 딱딱해진 표정으로 계속해서 페이지를 넘겼다. 마침 커피를 가지고 온 재인은 한없이 심각해진 동생을 보고는 말없이 돌아 나갔다.

책 한 권을 다 읽기까지는 1시간이 채 걸리지 않았다.

서건우의 뿔테 안경을 쓰지 않았는데도 빨리 읽을 수 있었다. 무려 소설 전체의 70% 이상이 아는 내용이었기 때문이었다.

더욱이 재건을 당황스럽게 만드는 요소는 익숙한 문체였다. 심지어 몇몇 장면은 토씨 하나 안 틀리고 그대로 쓸 자신이 있을 정도였다.

'혹시 이건…… 선배님의 기억이……?'

아무리 생각해도 자신이 읽었던 기억은 없었다.

어쩌면 이것은 대선배의 기억이 아닐까.

그간 예고도 없이 몇 번이나 꿈에 나타난 적도 있지 않은가. 그가 읽었던 책이라면 기억이 남아 있었을지도 모른다. 깊이 파묻혀 있던 그 기억이 지금 이 순간 되살아났다고 보는 건 억측일까.

'강병하…….'

재건은 책표지에 아로새겨진 고 강병하의 이름을 다시금 되새기듯 바라보았다. 점점 더 의문의 수렁 속으로 빠져드는 기분이었다.

끝내 그는 핸드폰을 잡고 명석의 번호를 눌렀다.

—네, 하 작가님.

"늦은 저녁에 죄송합니다, 편집장님. 정말 죄송한데 혹시 고 강병하 선생님의 유족분들에 대해 아시나요?"

—으음, 저도 잘 모릅니다. 선생님께서 돌아가신 이후로 가족들은 대외적인 활동이 전혀 없었거든요. 그런 건 갑자기 왜 물어보시죠?

"종로 한가운데를 전부 읽었어요. 이 작품을 쓰시면서 어떤 일이 있었는지 그런 걸 유가족분들에게라도 여쭤보고 싶어서요. 개인적으로 제 집필에도 큰 도움이 될 것 같고요. 찾을 방도가 전혀 없을까요?"

재건은 이미 세 가지 가능성을 염두에 두고 있었다.

고 강병하와 서건우가 동일인물이거나, 아니면 고 강병하가 서건우의 글을 베꼈거나, 둘 다 아니라면 자신이 미쳤거나.

누구에게도 말할 수 없고 근거조차 없는 혼자만의 확신이었다.

–한번 알아보기는 하겠습니다. 하지만 너무 기대하진 말아주셨으면 합니다. 이미 문단 쪽에서 여러 번 흔적을 찾으려는 시도를 했지만 죄다 실패한 걸로 알고 있어요.

"정말 감사합니다, 편집장님. 이 은혜는 절대로 잊지 않겠습니다."

–하하하, 무슨 말씀이세요. 하 작가님께서 더 좋은 작품을 쓰실 수만 있다면야 저는 그 어떤 일이라도 도와드릴 준비가 돼 있습니다.

재건은 몇 마디 더 통화를 한 끝에 핸드폰을 내려놓았다. 그리고는 다시 '종로 한가운데'를 두 손에 잡고 소설의 한 곳을 펼쳤다.

종로를 떠난 주인공이 경주의 건천읍이라는 장소에 정착하는 장면이었다. 언젠가 꿈에도 나왔던 겨자 목욕탕이 있는 곳이었다.

한동안 조용했던 박석지 개인 편집실은 다시금 바빠졌다. 윤태성 감독 작품 '겨자 목욕탕' 편집 작업 때문이었다.

부라부라 늦가을로 개봉 일정이 잡히는 바람에 이번에도 태성은 모든 휴가를 자동으로 반납했다.

"커피 한잔할래?"

화장실에 가려고 편집실에서 나온 태성이 물었다. 테이블 한구석에서 시나리오를 쓰고 있던 은하가 웃는 얼굴로 고개를 가로저었다.

"내가 알아서 마실 테니까 신경 쓰지 마."

은하는 집에 혼자 있기가 싫어 따라온 참이었다. 태성이 작업을 하는 동안 그녀도 응접실에서 자신의 시나리오를 집필하고 있었다.

"내가 마시고 싶어서 그래. 이리 와봐."

태성은 억지로 은하를 데리고 편집실을 나섰다.

같은 건물 1층에 카페가 있었다.

두 사람은 커피를 주문하고 창가와 면한 테이블에 나란히 앉았다.

"부산스러워서 집중이 잘 안 되지?"

"아니, 오히려 떠들썩해서 좋아."

"집에서 작업하라니까."

"네 집이 더 집중 안 돼. 너무 편해서 끝도 없이 늘어지는 느낌? 나 어제도 온종일 잠만 퍼질러 잤잖아."

태성이 커피 한 모금을 마시고는 은하의 노트북을 눈짓으로 가리켰다.

"그 시나리오는 거의 다 완성된 거야?"

"응, 이제 뭐 퇴고나 좀 하는 수준."

"팔아먹을 수는 있을 것 같고?"

"솔직히 자신은 별로 없네. 워낙 이야기가 이래 놔서."

태성이 수긍하듯 고개를 끄덕였다. 대학 시절부터 은하는 시사에 관한 이야기만을 고집했다. 언제나 사회적인 약자가 부당한 대우 속에서 힘겨워하는 현실을 그렸다. 두 편의 독립영화가 그러했고, 지금 작업하는 시나리오도 마찬가지였다.

"차라리 페미니즘을 집중적으로 다뤄보지그래."

"내가 생긴 것만 이렇지 속은 여자가 아니라서 모르겠다."

은하가 한껏 기지개를 켰다. 햇살 쏟아지는 유리창 너머 한길을 보면서 그녀는 말했다.

"걱정하지 마. 이 시나리오 못 팔아먹게 되더라도 생각이 있으니까."

"무슨 생각?"

"공장 들어갈 거야."

"……뭐?"

태성이 어이없어 하며 돌아보자 은하는 피식 웃으며 그의 어깨를 때렸다.

"뭘 그렇게 봐? 이 시나리오까지 엎어지면 공장은 아니더라도 어디든 취업할 생각이야. 최근 몸이 안 좋아서 쉬었지 알바도 간간이 하고 있었는데, 계속 애매하게 사느니 이젠 확실히 포기하려고."

"포기하겠다고?"

태성은 더욱 어안이 벙벙해졌다. 영화에 대한 열정이라면 언제나 은하가 한 수 위였다. 그런 그녀의 입에서 이런 말이 나왔다는 게 현실감이 없었다.

"어쩔 수 없잖아. 벌써 삼십 대 중반인데 모은 돈이라곤 한 푼도 없고. 나도 이제 내가 무능하다는 걸 인정해야 할까 봐."

"나하고 같이 일해. 내가 너 하나 못 챙겨주겠어? 집도 얼마든지 네 집처럼 생각하라고 했잖아. 혹시 나랑 같이 지내서 불편한 거라면 따로 오피스텔 하나 구해줄 수도 있어."

은하가 의자를 빙글 돌려 태성과 마주 앉았다. 그녀는 두 손을 뻗어 태성의 양 뺨을 아이 달래듯이 어루만지며 말했다.

"엄한 데다 기력 소모하지 마세요, 윤태성 감독님. 얼른 좋은 아가씨 만나서 장가가실 생각이나 하셔요."

"장난하지 마라. 사람 진지하게 얘기하는데."

바로 그때, 유리창이 가로놓인 두 사람의 앞길 너머에서부터 한 젊은 여자가 가까워 오고 있었다. 화려하게 치장한 그녀를 은하가 먼저 알아보고 물었다.

"쟤 연예인 아냐? 이름이 보라인가?"

"맞아."

재건의 원작 소설로 만들어졌던 영화 '스무 살의 여름'에서 이예지 배역을 맡았던 보라였다. 당시 형편없는 연기력으로 큰 논란을 불러일으킨 장본인이기도 했다.

은하가 보라에게 시선을 향한 채로 중얼거렸다.

"스무 살의 여름에서 연기 더럽게 못하던데. 쟤 나올 때마다 몰입도 확 떨어지더라. 하긴 우재훈 시나리오부터 엉망진창이었지. 어? 쟤 이쪽 본다."

은하가 시선을 딴 곳으로 돌렸다.

정말로 보라가 이쪽을 바라보며 잰걸음으로 다가오고 있었다. 연이어 카페 문을 열어젖히는 그녀의 얼굴엔 반가운 웃음이 가득했다.

"작가님! 여기서 혼자 뭐 하시는 중이세요?"

보라는 태성과 은하를 휑하니 지나쳐 카페 안쪽에 대고 묻고 있었다.

그제야 뒤를 돌아본 태성은 두 눈을 치켜떴다. 카페 한구석에 노트북을 펼치고 앉아 있는 남자를 이제야 발견한 참이었다.

“어? 하재건 작가님?”

재건이 머쓱하게 웃으며 일어섰다. 태성도 자리에서 일어나서는 그에게 다가가 악수를 나누며 물었다.

“이거 실례했습니다. 언제부터 계셨던 겁니까?”

“감독님 들어오시기 한 30분 전부터 있었습니다.”

“편집실로 들어오시지 않구요.”

“워낙 바쁘신 것 같아서요. 점심 식사 약속이었으니 시간 맞춰서 올라갈 생각이었어요.”

옆에 선 보라는 재건과 태성을 멀뚱멀뚱 번갈아 보고만 있었다. 그녀는 태성이 누구인지 알아보지 못했다. 과거 ‘바다가 있었다’ 오디션 장소에서 만난 적도 있었지만 그 기억은 지워진 지 오래였다.

‘뭐야? 감독? 무슨 영화감독이지?’

아무튼 지금 보라에겐 태성의 존재가 중요한 것이 아니었다.

그녀는 깍지 낀 두 손을 들고는 한껏 아양을 부리며 재건을 칭찬했다.

"오빠, 너무 대단하세요. 요즘 계속 성공하시는 것만 보여요. 중국 쪽에서는 돈 얼마나 많이 버시는 거예요? 한 열 배 돼요? 아니, 스무 배? 이제 오빠가 도준 오빠보다 돈 잘 버시는 거 같아요."

재건의 입은 열리지 않았다. 경박한 질문에 대답해 줄 의무 따윈 없었기 때문이다. 보라의 얄팍한 인성이라면 과거 '스무 살의 여름' 제작 보고회에서 처음 만났을 때부터 알아봤다.

"맞다, 오빠. 겨자 목욕탕 이제 금방 개봉이죠? 아, 저도 그 영화 엄청 출연하고 싶었는데. 감독 이름 뭐였지? 암튼 저 완전 싫어하나 봐요. 우리 소속사 사장님이 직접 찾아가서 부탁했는데도 거절했대요."

보라는 자신이 언급한 감독이 바로 옆의 태성인 줄도 모르고 떠들어 댔다.

"그러면서 발탁된 애가 홍예슬인가? 하여간 걔 오빠도 알죠? 룸녀 출신 김나연이랑 친하다던데. 그래서 비슷한 출신이란 얘기가 있더라구요. 원래 다 끼리끼리 논다잖아요. 오빠도 조심하세요. 그런 천박한 애들은 뒤에서 뭔 짓을 할지 모르거든요?"

재건이 태성을 향해 씁쓸하게 웃어 보였다.

여전히 그 어떤 상황도 파악하지 못한 보라는 제 할 말만을 이어갔다.

"오빠, 저 맛있는 거 사주시면 안 돼요? 이렇게 만난 것도 우연이고 저 오늘 일정 다 비거든요? 저랑 맛있는 거 먹으러 가실래요?"

"아니요."

재건이 무표정한 얼굴로 단박에 거절했다. 보라는 순간 당황했지만 웃는 낯으로 다시금 졸라댔다.

"에이, 오빠 그러지 말고 저랑 같이 가요. 제가 이 근방 맛있는 데는 다 꿰고 있어요."

"일이 있어서 안 됩니다."

연달아 두 번을 거절당한 보라는 속으로 발끈했다. 수차례 성형을 거친 외모에 무한한 자부심을 갖고 있는 그녀였다. 어지간한 남자는 꼬리만 한 번 흔들어도 죄다 넘어왔다. 그래서 보라는 더더욱 포기할 수 없었다.

특히 재건처럼 단기간에 압도적인 부와 명예를 거둬들이고 있는 남자라면 단연 사냥감 1순위였다.

"그럼 언제가 좋으세요? 오빠 폰 번호 좀 알려주세요. 제가 지금 바로 번호 보내드릴게요. 네?"

보라가 한 손으로는 자기 핸드폰을 꺼내는 동시에 다른 한 손으로 재건의 팔목을 잡았다. 재건이 입술을 깨문 것도 그와 동시였다.

"건드리지 마세요."

재건의 보라의 손길을 매몰차게 뿌리쳤다. 한없이 차가워진 그의 눈빛을 보고 보라는 놀라서 침을 꿀꺽 삼켰다.

"남의 몸에 멋대로 손대지 마세요. 그리고 저 아세요? 언제부터 친했다고 오빠라고 부릅니까?"

"아, 아니요……. 저는…… 다른 뜻이 아니라……."

"겨자 목욕탕에 출연하고 싶었다고요? 겨자 목욕탕을 만드신 윤태성 감독님이 바로 옆에 서 계시는데. 감독님 성함조차 기억을 못 하면서 출연하고 싶었다는 말을 합니까?"

"네……?"

보라가 비로소 사색이 되어 태성을 돌아보았다. 실언했다는 걸 자각하지 못할 만큼 바보는 아니었다.

그녀가 뭐라 변명을 하기도 전에 재건이 먼저 말을 이었다.

"홍예슬 씨에 대해서도 함부로 말하지 마세요. 그쪽이 헛소문 날조하고 다니면서 귀한 시간 낭비하는 동안, 홍예슬 씨는 진짜 배우가 되려고 노력하는 사람이니까."

"오, 오빠. 저는……."

보라가 울먹이며 뒤로 한 걸음 물러섰다.

재건은 살짝 허리를 숙여 그녀와 눈높이를 맞추고는 으르렁거리듯 덧붙였다.

"오빠라고 부르지 말라는 말 그새 잊어버렸습니까?"

"죄, 죄송해요……! 죄송해요, 작가님……!"

"죄송한 줄 알면 그만 가세요."

보라가 젖은 얼굴을 손으로 틀어막고는 재건과 태성에게 한 번씩 허리를 숙여 보였다.

그녀가 비틀거리듯이 카페 바깥으로 사라진 뒤 재건은 태성에게 사과했다.

"죄송합니다, 감독님."

"아닙니다. 하 작가님께서 말씀 안 하셨으면 제가 제대로 질렀을 겁니다. 제가 폭발하기 전에 해결해 주셔서 저는 그저 감사합니다."

은하가 엉거주춤 자리에서 일어서고 있었다.

태성은 재건에게 그녀를 소개했다.

"제 동기이자 영화감독이자 시나리오 라이터인 이은하입니다. 은하야, 이쪽은 하재건 작가님."

"안녕하세요. 하재건입니다."

"이은하라고 합니다. 하 작가님 소설 참 즐겁게 읽었어요. 태성이가 만든 영화도 너무 좋게 봤고요. 이렇게 뵙게 돼서 영광스러워요."

자연스럽게 세 사람이 한자리에 합석했다. 보라가 사라지고 편안해진 분위기 속에서 재건은 은하에게 물었다.

"혹시 제 기억이 맞다면 영화 마트와 빌딩 숲을 만드신 이은하 감독님 아니십니까?"

"어머…… 네. 마, 맞아요."

놀라서 대꾸하는 은하의 얼굴에서 핏기가 쫙 가셨다. 두 편 모두 그녀의 작품이었다. 시사 고발적인 경향이 짙은 독립영화로서 둘 다 별다른 호응 없이 묻혔던 것이다.

"어떻게 그걸 작가님께서 한 번에……?"

은하만큼 놀란 태성이 대신 물었다.

재건은 뒷머리를 긁적이며 겸연쩍은 듯이 말을 이었다.

"제가 이래 봬도 영화 엄청 좋아합니다. 윤태성 감독님과 함께 작업하기 전에도 성함만 듣고 바로 알았어요. 이은하 감독님 영화도 참 감명 깊게 봤습니다."

"벼, 별로 재미 없으셨을 텐데……."

"재미있었어요. 주제 의식에 짓눌리지 않으면서 상업적인 재미도 고루 갖춘 작품이었다는 게 제 감상입니다. 사회적 약자들의 모습을 참 성실하게 연출하셨어요."

재건이 자신의 노트북을 앞으로 끌어당겼다. 화면에는 그의 차기작 단편집인 '시장과 사람들'이 떠올라 있었다.

"제가 최근 쓰고 있는 글도 이은하 감독님 영화의 성향과 일맥상통하는 부분들이 있어서요. 안 그래도 글을 쓰다 보면 저도 모르는 사이에 떠올릴 때가 있었는데. 이렇게 윤태성 감독님 통해서 뵙게 되니 저야말로 너무나 영광입니다."

"정말…… 말씀 고맙습니다."

은하는 눈물이 나올 것만 같았다. 재건의 극찬은 그간의 힘겨운 나날들이 허송세월은 아니었음을 강력하게 주지시켜 주고 있었다.

"태성이 말이 하나도 틀리지 않았어요."

"네……?"

"정말 멋진 분이세요. 처음 만난 자리에서 사람을 이렇게 감격하게 만드시고……. 어떤 분이시기에 이토록 좋은 글을 계속 쓰시나 궁금했는데 그 의문이 지금 이 자리에서 전부 풀렸어요."

은하가 진심을 담아 대답하고는 살포시 웃었다. 그리고 문득 생각했다. 한낮의 카페에서 이뤄진 재건과의 이 우연한 만남을 평생토록 잊을 수 없을 거라고. 그로부터 받아낸 압도적인 용기 또한 죽을 때까지 잃어버리지 않을 거라고.

"아직도 이은하 감독님께 여쭤보고 싶은 게 꽤 많은데요. 어차피 이제 점심시간이기도 하니 어디 식당으로 자리를 옮길까요?"

"좋지요, 작가님. 그럼 일어나시죠."

세 사람은 카페에서 일어나 식당으로 자리를 옮겼다.

그날 하루가 끝나기 전, 부천의 작가 사무실에는 새 입주

민의 자리가 마련되었다. 더불어 재건의 차기작 '시장과 사람들'에도 경비원과 찹쌀떡 판매원에 이은 또 한 사람의 주인공이 추가되었다.

세 번째 단편의 소제목은 '시장의 영화감독'이었다.

78장
단막극 아니었습니까

"형, 요즘 나 몰래 무슨 약이라도 챙겨 먹었어?"

"약은 무슨, 왜?"

"하도 격렬해서. 나 먼저 샤워할게. 눈 돌려."

은영이 후다닥 욕실로 들어갔다.

민호는 땀에 젖은 몸으로 침대에 걸터앉아 담배를 꺼냈다. 하지만 곧 애인이 담배 연기를 싫어한다는 사실을 상기하고 도로 집어넣었다.

'돈을 빨리 모아야 할 텐데…….'

좁다란 모텔 내부를 둘러보면서 민호는 생각했다.

열심히 저축하고 있지만 은영과 새 둥지를 틀기엔 아직 돈이 부족했다. 단칸방으로 가고 싶지는 않았다. 적어도 방이

2개는 되는 집에서 신혼을 시작하고 싶었다.

애정 행각을 펼치기 불편해서 나가려는 것은 아니었다. 그런 문제야 가끔씩 이렇게 외출하면 해결된다. 그보다 민호에게 중요한 건 슬슬 눈치가 보이기 시작한다는 점이었다.

'새 작가님들도 계속 들어올 거고…….'

이것은 민호의 양심과도 관련이 있는 문제였다. 이제 자신과 은영은 그럭저럭 작가로서 기반이 잡혔다. 적어도 하루 세끼 밥값이나 월세 걱정을 할 수준은 벗어난 것이다.

얼마 전 은하가 재건을 통해 사무실에 입주했다. 태원으로부터는 래프북스에서 소설을 출간하고 있는 작가 두 명이 더 들어온다는 말도 들었다. 그래서 민호의 고민은 시작됐다.

곤궁한 후발 주자들을 위해서 사무실 자리를 비워주는 편이 좋지 않을까.

적어도 숙식 대신 출퇴근하는 쪽으로라도 노선을 변경해야 하지 않을까.

답이 나오지 않는 생각 속에서 욕실 문이 열렸다.

타월을 몸에 두른 은영이 희뿌연 수증기를 가르고 나왔다.

"아, 개운해. 형도 얼른 씻어."

"어……."

"형 피곤해? 아예 숙박으로 바꾸고 좀 자고 갈까?"

"아니야, 들어가서 마감해야지. 나도 씻을게."

모텔을 나선 두 사람의 머리 위로 뜨거운 햇살이 내리꽂혔다. 은영이 다 마르지 않은 머리칼을 손으로 털며 물었다.

"이제 사무실에 형이랑 나 사이 모르는 사람 없겠지?"

"같이 지낸 시간이 얼만데. 대놓고 드러내진 않아도 그 정도 눈치는 다 챘겠지."

좁은 골목을 벗어나자 대로가 나왔다. 길게 이어진 가로수 아래 길을 걸으며 은영이 넌지시 말을 이었다.

"나 1,500만 원은 당장 보탤 수 있어."

"……갑자기 무슨 소리야?"

"무슨 소리긴. 우리 집 구해야지."

어안이 벙벙해진 민호 앞에서 은영은 히죽 웃었다.

"형이 말 안 하면 모를 줄 알았어? 요즘 주변 눈치 보느라 만날 속으로 앓고 있었지?"

은영이 팔을 뻗어 민호의 손을 맞잡았다.

"고민 생기면 나한테는 털어놔야지. 형이 혼자야?"

"미안하다."

"미안하면 멸치 국수."

"그놈의 국수 지겹지도 않냐."

두 사람은 곧잘 가는 국수집에 자리를 잡고 음식을 주문했다. 냉수를 홀짝이며 인터넷 뉴스를 확인하던 은영이 두 눈을 동그랗게 떴다.

“오스카의 던전 중국에서도 잘나가나 보다.”

“그래? 뉴스 떴어?”

“중국 앱스토어 매출 6위 찍었네. 누적 다운로드 수 4,100만 건 돌파. 여기서 중국 비중이 70%라는데? 진짜 중국 시장이 엄청나게 크긴 큰가 봐.”

은영이 핸드폰을 내밀어 보였다.

민호는 멍하니 뉴스를 들여다보며 혀를 내둘렀다.

“하 작가님 대체 얼마를 버실지 상상조차 안 간다. 다음 차례는 겨자 목욕탕인가? 그건 어떻게 되는 거지?”

“영화랑 게임은 중국 먼저, 소설은 웅성 통해서 미국 먼저 나가게 될 것 같다고 하시던데?”

드르륵!

탁자 위에서 민호의 핸드폰이 몸을 떨었다. 재건으로부터 걸려온 전화였다.

“네, 하 작가님. 어쩐 일이세요?”

–장 작가님이랑 영화는 재미있게 보셨어요?

“네? 아, 네…… 하하. 재미있게 봤습니다.”

민호가 멋쩍게 웃으며 어물어물 대답했다. 은영과 사무실을 나오면서 영화 보러 간다고 작가들에게 둘러댔던 것을 본인이 잊어버리고 있었다.

−지금 어디세요? 저 부천 사무실 왔는데 뵙고 드릴 말씀이 좀 있어서요.

“아, 지금 근처입니다. 국수 한 그릇 먹고 들어가려고 이제 막 시켰어요. 후딱 먹고 들어가겠습니다.”

−급하실 건 없으니까 천천히 드시고 오세요. 같은 건물 1701호로 오시면 됩니다.

“1701호요? 거긴 무슨 일로……?”

−오시면 알아요. 그럼 이따 뵙겠습니다.

전화가 끊어지고 민호는 어리둥절한 표정이었다.

때맞춰 나온 국수 그릇에 젓가락을 넣으며 은영이 물었다.

“무슨 일이시래?”

“만나서 할 말이 있다고 하시는데? 근데 우리 사무실 말고 1701호로 오래.”

“거긴 왜?”

“나도 모르지. 뭐 다른 업체 들어왔는데 래프북스랑 연결돼서 일감 소개시켜 주시려는 거 아닌가?”

추측을 해봤자 나오는 답은 없었다.

두 사람은 궁금한 만큼 서둘러 면발을 흡입하고 식당을 나섰다.

“17층이라고 하지 않았어?”

“아, 맞다. 하도 습관이 돼놔서 반사적으로 살던 층 눌렀네.”

엘리베이터가 17층에 도착했다. 재건이 말한 1701호는 복도 끝자락이었다. 문이 활짝 열려 있는 그곳을 향해 민호와 은영은 잰걸음을 옮겼다.

“어, 아무도 없는데?”

문간 앞에 선 민호가 내부를 들여다보며 중얼거렸다. 그의 어깨 위로 고개를 쏙 내민 은영은 감탄해서 입을 떡하니 벌렸다.

“여기 근데 완전 넓다. 무슨 운동장이야?”

“그러게, 우리 사무실도 넓은 편이라고 생각했는데 여기 보니까 상대가 안 되네.”

말을 주고받는 두 사람의 귀로 발소리가 가까워 왔다. 곧이어 거실 저편의 방에서 재건이 모습을 나타냈다. 정장 차림의 젊은 여자가 그의 뒤를 따르고 있었다.

“아, 두 분 오셨네요? 들어오세요.”

재건이 반색하고 두 사람을 불렀다. 민호와 은영은 얼떨떨한 낯으로 비로소 발을 들이밀었다.

"여기 어떠세요?"

"네?"

민호가 질문의 요지를 파악하지 못하고 되물었다.

재건이 피식 웃으며 은영에게로 눈길을 돌렸다.

"질문 그대로예요. 장 작가님이 보시기엔 어떠세요?"

"엄청 넓고 좋은데요? 근데 하 작가님, 이거 몇 평짜리예요?"

재건의 옆에 서 있던 젊은 여자가 대신 설명해 주었다.

"전용 면적 59평입니다, 선생님. 방 4개에 욕실 2개, 드레스 룸도 따로 마련돼 있구요."

"와…… 그럼 60평이네요. 진짜 넓긴 넓다."

은영이 내부를 이리저리 둘러보며 감탄을 이어갔다. 그 옆에 선 민호는 문득 짚이는 바가 있어 두 눈을 가늘게 떴다.

"저기, 하 작가님. 여기 혹시……?"

"하하, 이제 눈치채셨어요?"

재건이 유쾌하게 웃으며 대답했다.

민호의 뒤를 이어 은영도 드디어 상황을 깨달았다. 젊은 여성의 정체는 중개업자, 그리고 이 거대한 오피스텔은 새로운 작가 사무실이라는 사실을.

"기존 사무실에는 래프북스 소속 작가들도 더 들어온다고 해서요. 아무래도 사람이 더 들어오면 불편하실 것도 있을 테니 여기로 이사하세요. 여긴 100% 제 사무실이니까요. 만약 부득이하게 래프북스가 아닌 타 업체와 작업을 하시게 되더라도 무엇 하나 신경 쓰실 필요 없습니다."

"하 작가님, 저희야…… 정말 감사한 일이지만 이건……."

민호는 목이 타서 말을 잇지 못했다.

이러한 그의 반응을 예상했다는 듯이 재건이 바로 덧붙였다.

"무료 아닙니다. 한 달에 10만 원씩은 지불하셔야 합니다."

"하 작가님……."

재건의 마음씀씀이에 은영도 가슴이 먹먹해졌다. 이렇게 좋은 오피스텔이 월 10만 원이라면 거저나 다름없다. 무엇보다 민호와 은영은 이것도 재건의 배려라는 점을 잘 알았다. 자신들이 부담스러워하지 않도록 적은 돈이나마 요구하는 것이다. 그래서 더욱이 고맙고 미안했다.

"양현경 작가님이랑 연우도 들어옵니다. 이은하 감독님도 한동안 여기로 출퇴근하실 거고요. 저 빼고 총 다섯 분이시네요."

어릴 적부터 재건은 아버지를 통해 누누이 들어왔다.

사람은 실력 이전에 인성이 먼저다. 사람이야말로 그 어떤 금은보화와도 비교할 수 없는 가장 큰 재산이다.

그래서 재건은 이들을 놓치고 싶지 않았다.

금전적인 손익을 떠나 결코 밑지는 장사가 아니었다. 그간 힘겨울 때마다 정신적으로도 많은 힘이 되어준 사람들이다. 추후 이들을 통해 그 어떤 커다란 도움을 받게 될지도 알 수 없는 일이다.

"하지만 가능하면 래프북스랑 일해주세요. 안 그러면 저 작가님들 빼돌렸다고 권 대표님한테 혼날지도 모르니까요."

재건의 농담에 민호와 은영은 씁쓸하게 웃을 수밖에 없었다. 감사하다는 말 따윈 수백 번 해도 모자랄 터였다. 차라리 입을 다물고 있는 편이 나았다.

BIG LIFE

그날 저녁.

재건이 마련한 새 오피스텔에서는 삼겹살 냄새가 끊일 틈이 없었다. 실로 많은 사람이 모여들었다.

기존 작가들에 감독 태성과 은하, 그리고 태원과 소미까지 합류해 고기를 먹으며 술잔을 기울였다.

"자, 여러분! 하재건 사단 발족을 축하하며 건배!"

술이 꽤나 들어간 연우가 자리에서 벌떡 일어서며 소리쳤다.

재건은 민망해서 그를 향해 손을 내저었다.

"너 또 취해서 헛소리하지 말고 빨리 앉아."

"아, 왜요 형. 저 진짜 안 취했어요, 끅."

연우가 억울하다는 듯이 울상을 지었다.

그 옆에 앉아 있던 은하가 시원하게 웃으며 잔을 높이 들었다.

"저는 듣기 나쁘지 않은데요? 하재건 작가님 라인에 무진장 끼고 싶으니 건배할래요."

은하의 너스레로 한바탕 웃음이 번졌다.

또 한 순배의 술이 돌았고 사람들은 왁자지껄 이야기를 이어갔다.

"은하 신경 써주셔서 정말 고맙습니다."

소란을 틈타 태성이 재건에게 나직이 말했다. 두 눈은 맞은편에서 연우와 떠들고 있는 은하를 향하고 있었다.

"제 집에서는 작업이 잘 안 된다고 하더라고요. 지금 애가 운 때를 못 만나서 그렇지 정말 재능 많은 녀석입니다."

"당연히 저도 알죠. 이은하 감독님도 조만간 제대로 빛을 발하게 되실 거라고 생각해요. 그리고 따지자면 고마워할 것도 제 쪽입니다. 이은하 감독님께서 숨기지 않고 본인 인생 말씀해 주신 덕에 저는 차기작에 들어갈 단편 하나 또 구상할 수 있었잖아요."

문득 재건의 눈빛이 진지해졌다. 자신의 차기작인 '시장과 사람들'이 은하의 작품 성향과 꼭 맞아떨어진다는 사실을 상기시킨 참이었다. 손가락으로 턱 밑을 쓰다듬으며 그는 혼잣말을 중얼거렸다.

"시장과 사람들이 영화로 만들어지게 된다면 이은하 감독님께서……."

"네? 지금 뭐라고 말씀하셨어요?"

"아니, 별거 아닙니다."

일단은 말을 아끼는 재건이었다. 근시일내로 이뤄질 것도 아닌 일을 두고 일찌감치 설레발을 칠 필요는 없었다.

그저 속으로만 굳게 결심했다.

언젠가 '시장과 사람들'이 영화로 만들어진다면 은하를 감독으로 강력하게 추천해야겠다고.

드르륵!

"죄송한데 잠시 전화 좀 받고 오겠습니다."

재건이 울리는 핸드폰을 들고 오피스텔에서 나왔다. 조용한 복도 끝 창가로 걸음을 옮기며 그는 전화를 받았다.

"네, 편집장님."

-안녕하세요, 하 선생님. 저녁 드시는 중이셨어요?

명석의 목소리가 유난히 밝은 느낌이었다. 재건은 뭔가 즐거운 얘깃거리가 있다는 것을 짐작하며 대꾸했다.

"작가 사무실을 새로 옮겼어요. 그래서 기념으로 삼겹살

파티 하던 중이었습니다.”

—그러셨군요. 이거 한창이실 때 제가 훼방을 놓아버린 거 아닙니까?

“아닙니다, 이제 거의 다 끝나가고 있어요. 말씀하세요.”

—일단 고 강병하 선생님 유족들은 여전히 수소문을 하고 있는 중입니다. 아무래도 조금 더 기다려 주셔야 할 것 같습니다. 그리고…….

전파 저편에서 서류를 만지작거리는 소리가 어렴풋이 들려왔다. 그런 끝에 명석의 말이 다시 이어졌다.

—하 선생님, 혹시 TV 드라마는 관심 없으십니까?

“TV 드라마요?”

—MBS 방송국에 안중원이라는 PD와 조금 친분이 있습니다. 이 양반이 예전부터 하 선생님 한 번만 뵙게 해달라고 안달이 난 사람인데요. 선생님 극본으로 단막극이라도 하나 만들어 보는 게 소원이랍니다.

“아아, 네…….”

뜻밖의 말 앞에서 재건은 말끝을 흐렸다. TV 드라마 쪽은 아직까지 경험해 보지 못한 분야다. 도전 욕구와 흥미가 동하기는 하면서도 선뜻 판단이 서질 않았다.

“편집장님은 어떻게 생각하세요?”

—제 생각이요?

“항상 먼저 여쭤보는 거 아시잖아요. 제가 할 수 있을까요? 방송국 쪽은 작업 방식이 어떻게 돌아가는지도 잘 모르거든요.”

–그다지 다를 거 없습니다. 선생님께서 지금껏 해오셨듯이 글을 써주시면 되는 겁니다. 단막극이라면 분량 면에서도 부담이 없으니 한 번쯤 경험 삼아 해보셔도 나쁘지 않을 것 같습니다.

“으음, 네……. 근데 당장 무슨 각본이 있을지.”

–지금 쓰시는 차기작이요. 시장과 사람들에 수록될 단편들 중 하나를 각색해 보시는 건 어떠세요?

“괜찮을까요?”

–그럼요. 경비원이나 찹쌀떡 판매원 두 에피소드 모두 단막극으로 각색하기 좋을 작품이라고 생각해요. 둘 중 하나라면 제 생각엔 찹쌀떡 판매원 단편이 로맨스 요소도 내포하고 있어서 조금 더 호응이 높을 것 같습니다.

재건은 창 너머로 별들이 반짝이는 밤하늘을 바라보았다. 거실에 앉아 자신이 쓴 드라마를 보며 즐거워할 가족들의 모습이 떠올랐다. 덕분에 고민은 그리 오래 걸리지 않아 끝났다.

“고맙습니다, 편집장님. 그 PD님 한번 만나게 해주세요.”

재건의 의지는 명석을 통해 PD에게 전해졌다.

이튿날 아침엔 PD 주변의 여러 사람까지도 재건의 TV 진출 의사를 알게 되었다.

다만 모두가 재건에게 호의를 가진 사람은 아니었다.

—정말? 그래서 드라마 각본을 쓰기로 한 거야?

"일단 만나서 얘길 들어봐야지."

—힘들지 않겠어?

"단막극이라고 하니까 크게 걱정은 안 들어."

재건이 핸드폰에 대고 대답했다. 한 손으로는 무릎에 앉은 리카를 쓰다듬고 있었다.

—우리 하 작가님, 대단하세요. 소설에서 웹툰에 게임에 영화에, 이제 TV 드라마까지 공략 들어가시네.

"만나서 얘기 들어봐야 한다니까."

반쯤 열린 창틈을 통해 아침의 상쾌한 바람이 흘러들었다.

재건의 입가에 절로 웃음이 피었다.

잠이 덜 깬 평화로운 오전이다. 이 시간에 갖는 수희와의 통화가 그는 좋았다.

—비타민 챙겨 먹어. 나 없다고 술 많이 마시지 말고.

"일 있을 때 말고는 안 마시는 거 알면서 그래."

—귀찮다고 라면 끓여먹지 말고. 밥 남는 거 걱정되면 위생 비닐에 한 끼 먹을 양 담아서 냉동실에 넣어놔. 정 번거로

우면 조미료 너무 많이 안 넣는 괜찮은 식당 한번 알아보고.

"잘 챙기면서 살 테니까 걱정하지 마."

–거기 어디였더라? 역 뒤편으로 참치집 가는 길목에 있었던 식당 말야. 우리 가끔 갔었던 거기 담백하고 음식 좋았는데. 그런 곳이라면 하루 한 끼 정도는 해결해도…….

재건이 미간을 좁히고 웃었다.

왜 수희는 내일모레면 서른인 남자를 아직도 물가에 내놓은 아이처럼 걱정하는 걸까.

이해되지 않았지만 한편으로는 행복했다. 대만에서부터 바다를 건너 날아드는 소중한 마음이 느껴졌다.

–그리고 운동 꾸준히 하고 있는 거지? 헬스장 같은 곳 싫어하니까 자전거는 어때? 아니면 스쿼시라든가 또…….

"수희야."

–응?

"사랑한다."

–치…… 거짓말. 잔소리 그만하라는 뜻이잖아.

재건의 무릎에 웅크리고 있던 리카가 별안간 바닥으로 뛰어내렸다. 재건은 정원으로 나가는 리카를 두 눈으로 좇으며 대답했다.

"벌써 10년은 못 본 것 같아."

–과장하기는……. 글구 내가 더 많이 보고 싶어.

"내가 더 많이 보고 싶은데."

—아니야, 나야.

재건은 뜨거운 커피 한 잔이 다 식도록 대화를 나눈 끝에 전화를 끊었다.

기지개를 켜면서 일어서서는 리카를 찾으러 정원으로 나갔다.

"리카, 어디 갔어? 으음?"

재건이 정원의 소나무 옆을 바라보며 두 눈을 가늘게 떴다. 나무 밑동 옆에 선 리카가 보였다. 못 보던 새끼고양이 한 마리가 함께였다.

"리카, 누구야? 네 친구야?"

재건이 가까이 다가가도 새끼고양이는 도망가지 않았다. 한참을 밖에서 지냈는지 본래 새하얀 온몸의 털이 때로 꾀죄죄했다.

"너 어디서 왔니? 리카보다는 한참 어려 보이는데."

재건이 천천히 손을 뻗으며 물었다. 새끼고양이는 딱히 경계하는 기색도 아니었다. 털을 곤두세우지도 않고 재건의 손길에 몸을 내맡기고 있었다.

"왜 이렇게 떨어? 어디 아픈가?"

손끝으로 새끼고양이의 떨림이 확연히 전해져 왔다.

리카가 재건의 팔목을 앞발로 꾹꾹 누르며 울음소리를

냈다. 눈빛을 교환한 재건은 리카의 마음을 알 것 같았다.

"알았어, 일단 병원 데려가 보자."

재건이 새끼고양이를 두 손에 들고 일어섰다. 차고로 향하는 그의 등 뒤를 리카가 우아한 걸음걸이로 따랐다.

BIG LIFE

"만나 뵙게 돼서 영광입니다, 하재건 선생님."

여의도 모처의 한식당.

점심시간을 맞은 식당 안은 손님들로 북적거렸다.

홀을 지나 고급스런 병풍이 둘러쳐진 룸 안에는 여러 사람이 모여 있었다. 한쪽은 재건과 명석, 맞은편은 MBS 방송국 및 연예 기획사 사람들이었다.

"저는 MBS TV 본부 드라마국 CP로 있는 배태곤이라는 사람입니다. 선생님과의 자리가 주선됐다는 말을 듣고 만사 제치고 달려왔습니다."

소개를 마친 배 CP가 허리를 90도로 굽히며 다시금 인사했다. 재건도 고개를 숙여 그에 답했다. 뒤이어 배 CP 옆의 나머지 사람들도 차례대로 재건에게 자신을 소개했다.

"저는 PD 안중원입니다. 부디 잘 부탁드립니다."

"저는 안 PD님 밑에서 AD로 일하고 있는 서윤근이라고 합니다."

"저는 ICU 엔터테인먼트에서 실장 직을 맡고 있는 이경환 입니다."

그럭저럭 서로의 소개가 끝났다.

주문한 음식들이 탁자 위에 깔리기 시작했다. 50대의 배 CP는 기쁜 듯이 웃으며 말을 이었다.

"그간 하 선생님과 어떻게든 접점을 만들고 싶어 백방으로 노력했습니다만 어렵더군요."

"죄송하게 됐습니다. 그간 처리해야 할 일이 많아서 대부분의 섭외를 사양할 수밖에 없는 몸이었습니다."

"아닙니다, 선생님께서 얼마나 바쁘실지는 저도 당연히 알지요. 바쁘신 와중이실 텐데 시간을 내주셔서 정말 기쁩니다."

배 CP는 어찌나 기쁜지 여전히 상체를 들썩이고 있었다.

일반적으로 10년 이상의 PD 생활을 거친 사람이 맡을 수 있는 직책이 CP다. 보통의 기업으로 예를 들면 이사급에 해당된다.

CP는 할당된 프로그램을 맡은 PD들을 관리하고 기획 전반을 도맡는다. 그만큼 풍부한 연출 경력과 사내에서의 입지를 필요로 하는 높은 자리인 것이다.

"여기 음식이 아주 괜찮습니다. 어서 드셔보시지요."

배 CP가 손수 접시를 밀며 재건에게 권해주었다.

사실 상대가 어지간한 작가였다면 나오지도 않았을 터였다. 심지어 계약이 확정되지도 않은 작가를 만나려고 직접 나선다는 것은 극히 드문 일이었다.

좋은 글을 쓰는 작가는 지천에 깔려 있다. 가만히 앉아 있어도 밀려들어 와 천장까지 쌓이는 게 각본이고 소설이다. 20년 가까이 방송가에 몸담은 배 CP로서도 이골이 나는 부분이었다.

하지만 오늘은 상황이 완전히 달랐다. 상대가 다른 누구도 아닌 무려 하재건 작가인 것이다.

"하 선생님의 작품을 하나도 빼놓지 않고 다 읽었습니다."

"정말이세요?"

"네, 그럼요. 특히 풍천유 작가님의 무협 소설이 정말 좋았습니다. 읽으면서 눈앞에 상황이 쫙 그려지는 게 참 드라마로 만들고 싶어지더라고요. 한국에서는 다소 요원한 소망이지만 말입니다. 하하하."

배 CP는 너털웃음을 터뜨리며 재건의 존재를 처음 알게 됐던 어느 하루를 떠올리고 있었다.

'스무 살의 여름'이란 소설이 영화화되었다는 뉴스를 통해서였다.

당시 배 CP는 오래지 않아 재건의 이름을 잊어버렸다. 그저 운이 좋아서 베스트셀러가 된 작가라고 생각했다. 한 번 반짝 떴다가 사라지는 작가가 발에 차이는 돌멩이만큼 많은 세상이니까.

“선생님은 정말 대단하십니다.”

배 CP가 진심을 담아 말을 이었다.

“단순히 이례적인 케이스라는 수식만으로는 한참 부족합니다. 무협, 판타지, 드라마, 미스터리 호러까지. 이 온갖 장르를 소화하시는 그 필력 말입니다. 심지어 전부 흥행에도 성공했어요. 원작만이 아니라 영화에 만화에 게임에…… 이제는 해외 진출까지!”

주먹을 불끈 쥐어 보이는 배 CP 앞에서 재건은 머쓱하게 웃으며 고개를 까닥였다.

이번엔 안 PD가 나물 반찬을 집다 말고 거들었다.

“게다가 판매량뿐만이 아니죠. 유수의 문학상들을 휩쓰시면서 작품성을 인정받으시고 문단 문학계를 통째로 뒤흔들어 놓으셨어요. 이건 말 그대로 이변입니다.”

“오늘 CP님과 PD님 두 분께서 절 민망함으로 말라 죽게 만드시려는 것 같네요.”

잠자코 있던 서 AD까지 손을 들며 나섰다.

“요즘 대학가에서 선생님에 대한 말이 정말 많이 들립니다. 문창과 나온 아는 방송 작가 동생이 있는데 열에 아홉

이 선생님 작품 필사한다고 하더라고요."

입을 모아 재건을 극찬하는 MBS의 세 사람이었다. 이 세 사람을 비롯해 엔터테인먼트 ICU 이 실장까지 꼭 같은 생각을 하고 있었다. 무슨 수를 써서라도 재건과 계약해야 한다고.

재건은 여러모로 대성공을 거둔 작가지만 아직 TV 드라마 쪽으로는 진출하지 않은 상태다. 그가 각본을 맡게 되면 자체로도 상당한 화제가 될 터였다. 효과적인 홍보는 자연스레 뒤따라올 것이다.

"식사도 못 하시게 너무 말만 많았네요. 죄송합니다, 선생님. 일단 좀 드세요."

한동안 식사를 하면서 연예계의 소소한 동향이 얘깃거리로 오갔다. 어느 시점부터 화제가 드라마로 집중되었고, 다시 대화는 물 흐르듯 재건의 이야기로 귀결되고 있었다.

"저희는 이번 드라마도 ICU 엔터와 공동 제작하게 됩니다. 일전에 저희 방송국에서 만들었던 4부작 드라마 그녀의 요람처럼 말입니다."

"네……?"

재건이 처음으로 놀라서 고개를 들었다. 그와 시선이 마주친 명석도 어리둥절한 표정이 되었다. 그는 재건 대신 젓가락을 내려놓으며 물었다.

"한 편으로 끝나는 단막극이 아니었습니까?"

"애초에는 그럴 예정이었습니다만, 하 선생님께서만 괜찮으시다면 3부작 정도로 만들고 싶습니다."

안 PD가 재건에게로 눈길을 돌리며 말을 계속했다.

"선생님의 작품, 시장과 사람들 3작의 단편을 모두 읽었습니다. 세 단편의 주인공인 경비원과 찹쌀떡 판매원, 그리고 영화감독까지 관계가 부드럽게 연결되더라고요. 연작으로 3부작을 만들면 모양새가 좋겠다고 생각했습니다."

"으음, 네……."

ICU 이 실장이 바통을 이어받았다.

"4부작으로 나갔던 그녀의 요람 말입니다만, 사실 당시에 방영되던 드라마가 조기 종영됐었습니다. 엎친 데 덮친 격으로 후속 드라마마저 제때 준비가 되질 않아서요. 어쩔 수 없이 4부작 단막극을 편성했던 겁니다."

"으음, 네."

"그런데 막상 내보내고 보니 이게 의외로 제법 반응이 괜찮은 겁니다. 도통 시청률이 안 나온다는 게 단막극의 고질병이었는데요. 편수를 늘리니까 이 부분이 상당히 해결이 된 거죠."

재건은 고개를 끄덕이며 경청하는 한편 손에 쥔 펜으로는 중요한 이야기들을 부지런히 메모하고 있었다.

메모를 힐끗 본 이 실장은 신이 나서 말을 계속했다.

“짧은 호흡의 이야기에 익숙한 젊은 층의 지지가 꽤나 큽니다. 공감되는 소재와 빠른 전개, 이 두 가지를 하 선생님의 작품은 전부 갖추고 있습니다. 저는 꼭 오늘 선생님께서 좋은 대답을 들려주시길 간절히 고대하고 있습니다.”

재건이 펜을 내려놓으며 희미하게 웃었다. 자신을 높이 평가해 준 상대를 향한 감사의 미소였다. 하지만 의미를 모르는 이 실장은 괜히 초조해져서 말을 보탰다.

“그 무엇이든 최대한 하 선생님의 편의를 봐드리겠습니다. 각본 집필 작업에 필요하신 거라면 뭐든지 제공해 드릴 수 있습니다. 더불어 배우들과 감독에 이르기까지도 선생님의 고견을 따를 용의가 있습니다.”

“…….”

재건은 입을 다물고 휘몰아치는 생각을 하나로 정리했다. 예정보다 빠른 기회가 왔다는 느낌이었다. ‘반드시’까지는 아닐지언정 ‘이왕이면’이란 수식어는 붙일 만한 인재가 그에게는 있었다.

“저는…….”

이윽고 생각을 끝낸 재건이 입을 열었다.

“당연하겠지만 제가 써낸 작품을 아낍니다. 글이 좋고 나쁨을 따지기 이전에 직접 쓴 작품이니 애착이 갈 수밖에 없다는 의미입니다."

"물론이지요, 선생님. 이해합니다. 그럼요."

이 실장은 거의 덮어놓고 고개를 끄덕이는 중이었다. 재건은 느릿한 어조로 말을 이었다.

"그래서 어쩔 수 없이 매번 생각합니다. 정말 능력 좋으신 분이 내 소설로 영화를 만들어주셨으면 좋겠다고요. 이번 경우에는 그게 드라마죠."

재건의 시선이 옆의 명석에게로 옮겨가고 있었다.

"하지만 그간 여러 경험을 통해 한 가지를 확실히 깨닫고 반성했습니다. 저는 천성이 글쟁이고 글 쓰는 것밖에 할 줄 모릅니다. 좋은 감독이나 배우를 보는 안목은 꽝이에요. 따라서 호의는 감사하나 그런 캐스팅 부분까지 일일이 개입할 욕심 혹은 배짱이 저에게는 없습니다."

이대로 이야기가 끝날 줄 알았던 안 PD가 끼어들려는 찰나였다. 재건이 손가락 하나를 들어 보이며 진중한 표정으로 말을 이었다.

"다만 추천하고 싶은 감독은 한 분 계십니다."

"그분이 누구시죠?"

"이은하 감독님이십니다."

이 실장이 고개를 갸웃거렸다. 처음 들어보는 생소한 이름이었던 것이다.

"마트와 빌딩 숲이라는 두 편의 독립영화를 연출하셨습니다. 시장과 사람들을 쓰면서 생각했습니다. 언젠가 이 단편집 중 하나가 영화로 만들어지면 꼭 이은하 감독님께 맡기고 싶다고요. 성향이라든가 연출 기법이 여러모로 제 작품과 맞았어요. 한번 참고라도 해주시면 감사하겠습니다."

"으음, 네…… 알아보겠습니다, 선생님."

이 실장과 옆의 서 AD가 즉석에서 메모를 마쳤다. 그런 다음 재건에게 다시금 물었다.

"그밖에 배우나 다른 부분에 관해선 더 요청하실 것은 없으신지요? 저희 엔터 소속 중에서 특별히 원하시는 배우가 있다면 적극적으로 검토해 보겠습니다."

"특별히 원하는 배우는 없습니다. 다만 원하지 않는 배우는 한 명 있습니다."

"원하지 않는…… 배우요?"

재건이 고개를 끄덕였다. 되먹지 못한 사람에게 소중한 작품을 맡길 수는 없었다. 지금 이 시간에도 수많은 배우가 꿈을 위해 분투하고 있으리라. 단 한 자리라도 그들의 열정에 보탬이 되어주기 위해서라도 꼭 말하고 싶은 부분이었다.

"앞서 말씀드린 이은하 감독님의 경우는 추천입니다. 하지만 이건 확실한 요구 사항이에요."

일순 주변이 침묵으로 뒤덮였다. 집중된 모두의 시선 속에서 재건의 입술이 나직이 열리고 있었다.

MBS의 세 사람과 ICU의 이 실장은 잠자코 받아들일 수밖에 없는 요구 사항이었다.

79장
준비된 자에게는 반드시

"보라야! 보라야!"

"부르지 말고 놔둬!"

보라가 핸드백을 거칠게 휘둘렀다.

매니저는 맞은 어깨를 문지르면서 애원조로 말을 이었다.

"어디 가는데? 오늘 맥시멈 잡지 화보 미팅 있잖아."

"내 화보니까 내가 알아서 해! 오늘 진짜 터지기 일보 직전이니까 그냥 좀 비키란 말야!"

"보라야!"

보라는 매니저의 부름을 외면하고 엘리베이터에 올랐다. 재건의 원작 소설로 제작될 드라마에 자신의 자리가 없음을 통보받은 직후였다.

눈에 보이는 모든 것을 때려 부수고 싶은 심정이었다. 뜨거운 머릿속은 팝콘처럼 들들 볶이는 것만 같았다.

"언니! 지금 시간 있음 나와! 왜긴 왜야, 술 마시자고. 무슨 일인지는 와서 물어. 로데오 라바테로 와."

부우웅!

차에 오른 보라는 시동을 걸자마자 액셀을 밟았다. 거침없이 지하 주차장을 빠져나오는 그녀의 차 앞에서 기겁한 행인이 뒷걸음질을 치고 있었다.

쉼 없이 달려온 차가 압구정동에 진입했다. 보라는 한 건물 측면으로 차를 세우고 내려섰다. 카페와 나란히 자리한 주점이 그녀의 목적지였다.

"어머, 보라 씨. 어서 오세요."

모로코 풍으로 꾸며진 단골 술집의 사장은 살갑게 웃으며 보라를 맞아들였다.

전 테이블이 벽과 커튼으로 독립되어 있어서 연예인들도 즐겨 찾는 주점들 중 하나였다. 입구의 벽면에는 유명 인사의 사인이 새겨진 액자가 빼곡했다.

"봄베이 사파이어요. 안주는 가벼운 걸로 사장님이 챙겨주시고."

"네, 다른 분은 더 안 오세요?"

"유나 언니 올 거예요."

"알겠습니다. 준비해 드릴게요."

직원이 술과 안주를 가져왔다. 보라는 독한 진을 얼음도 넣지 않고 단숨에 마셨다. 금세 빈속이 불이라도 난 것처럼 후끈 달아올랐다.

"왜 이래? 안 어울리게 스트레이트는."

두 잔째 술을 마시려는 찰나 유나가 커튼을 비집고 들어왔다. 그녀도 ICU 엔터테인먼트 소속으로 보라보다 2살 많은 22살이었다. 올해 겨울에 데뷔할 걸그룹의 멤버로 한창 준비 중이었다.

"오면서 간단히 얘긴 들었어. 그 3부작 드라마 때문이지?"

"언니, 나 진짜 속상해 미칠 것 같아. 어떻게 날 빼놓고……! 우리 사장님 미친 거 아니야?!"

보라가 악에 받쳐 소리쳤다. 최근 들어 그녀는 극심한 초조함을 느끼고 있었다. '스무 살의 여름' 연기력 논란 이후 방송 섭외가 나날이 수직으로 낙하하고 있는 까닭이다. 이따금 예능에 비고정 패널로 얼굴을 내밀거나 잡지 화보를 찍는 게 고작이었다.

"새파란 년들이 계속 치고 올라오는데 왜 우리 사장님은 제대로 케어도 안 해줘! 나 할 만큼 했다고! 몸이고 마음이고 다 던졌는데 결과가 이거야?"

"정말 다들 보는 눈이 없나 봐. 기운 내, 보라야."

유나가 컵에 얼음을 담으며 짐짓 위로를 건넸다. 하지만 속으로는 쌤통이라는 생각을 하고 있었다. 언제나 남의 상황은 고려하지 않고 제멋대로 행동하는 보라가 싫었다. 생활고로 돈을 빌리지 않았다면 이렇게 기분을 맞춰주고 있지도 않았으리라.

"고작 3부작 단막극이잖아. 더 좋은 기회 있을 거야. 이사님이랑 사장님도 생각하시는 바가 있으시겠지."

"언니는 그녀의 요람 보고도 그런 말이 나와? 박정연 그 여우같은 년이 그거 주연 따고 나서 CF만 4개를 찍었다고. 드라마도시 같은 단막극하고는 차원이 다른 문제거든? 머리 있으면 좀 쓰고 말해!"

"미, 미안해. 보라야…… 난 그냥……."

"어떻게 내 주변엔 도움 되는 사람이 하나도 없니? 아, 됐어. 술이나 따라."

유나가 얼음 든 잔에 술을 가득 따라 건넸다.

벌컥벌컥.

술을 들이마시고 난 보라는 울상이 되어 또 푸념을 늘어놓기 시작했다.

"나 어떡해, 진짜. 머리부터 발끝까지 공들인 게 얼만데. 기회 한 번 못 얻고 이렇게 시간만 까먹고. 다 싫어, 다 죽이고 싶어."

보라가 테이블 위에 두 팔을 괴고 얼굴을 파묻었다.

유나는 도저히 이해할 수 없었다.

왜 본질적인 문제를 외면한 채 헛되게 시간만 낭비하는 건지.

'클럽 쏘다닐 시간에 연기 연습이나 하지. 내가 PD라도 너 같은 건 안 쓰겠다, 이년아.'

유나가 속으로 혀를 끌끌 찼다. 바로 그 순간 보라가 고개를 갑자기 치켜들었다. 시선이 마주치자 유나는 혹시 속을 들킨 게 아닌가 싶어서 뜨끔했다.

"나 화장실 갈래."

"아, 그, 그래. 같이 가 줄게."

유나는 안도의 한숨을 몰래 내쉬며 자리에서 일어섰다.

보라가 화장실에서 일을 보는 동안 그녀는 세면대에서 손을 씻고 앞으로 나와 기다렸다.

'화장실 한 번 혼자 다녀오는 법이 없어……!'

툴툴거리는 유나 앞으로 한 남자가 쓱 지나쳐 갔다. 어딘지 모르게 낯익은 얼굴이어서 유나는 고개를 갸웃거렸다. 이내 남자는 복도의 모퉁이를 돌아 내측으로 자취를 감췄다.

"누구였지? 본 적 있는 얼굴인데……."

"혼자 뭐라고 중얼거리는 거?"

용무를 마치고 나온 보라가 등 뒤에서 불쑥 물었다.

유나는 흠칫 몸을 떨며 돌아보고는 겸연쩍게 웃었다.

"나왔어? 어떤 남자 한 명 봤는데 어디서 본 적 있는 얼굴 같아서."

"연예인이야?"

"아니, 연예인은 아니었던 것 같구……."

"아, 몰라. 들어가."

자리로 돌아와서도 보라의 푸념은 이어졌다.

독기 가득한 두 눈으로 허공을 파헤치며 한참을 떠든 끝에, 증오의 대상이 한 사람으로 좁혀졌다.

"이거 혹시 하재건 그 인간이 수 쓴 거 아냐?"

"하재건? 아, 그 작가? 만난 적 있어?"

처음으로 유나가 흥미를 품고 물었다. 재건의 이름은 그녀도 익히 알고 있었다. 심지어 소속사와 MBS가 공동으로 제작하는 3부작 드라마의 원작자이기도 한 것이다.

"박석지 편집실 지나가다 우연히. 근데 좀 재수 없더라, 그 인간."

"왜? 뭐 안 좋은 일이라도 있었어?"

"아, 몰라. 아무튼 좀 떴다고 기고만장한 게 얼마나 역겨운지. 스무 살의 여름 제작 보고회 때만 하더라도 내 앞에서 얼굴도 못 들더니."

보라가 사실 여부와 관계없이 내키는 대로 지껄였다.

욕하는 근거조차 없다는 점에서부터 유나는 짐작했다. 무슨 일이 있었건 간에 재건이 잘못한 건 아니리라.

"도준 오빠는 어떻게 그런 인간이랑 친구 먹고 지내지? 도저히 이해 안 돼. 생각해 보니까 박도준 그 인간도 만만찮게 밥맛이야. 내 전화도 절대 안 받더라? 톡은 죄다 씹고. 박도준이나 하재건이나 쌍으로 밥맛이야."

보라가 말하고 난 바로 그 순간.

유나는 비로소 화장실 앞에서 봤던 남자의 정체를 기억해 낼 수 있었다.

"그 사람이었구나……."

"뭐? 누구?"

"내가 아까 화장실 앞에서 낯익은 남자 봤다고 했잖아. 지금 네 말 듣고 생각한 건데 도준 오빠 매니저 같아."

"태봉 오빠? 정말?"

보라가 두 눈을 큼지막하게 치켜떴다. 매니저 태봉이 이곳에 있다면 도준도 함께 있을 확률이 높을 테니까.

"어디로 갔어? 나갔어?"

"아니, 저기 화장실에서 나와서 보라색 방들 있는 쪽으로 들어가던데."

보라가 고개를 치켜든 채 두 눈을 이리저리 굴렸다. 이내 그녀의 입가에 한 줄기 의미심장한 미소가 피어올랐다.

"언니 좀 있어."

"가 보려고?"

"20분 안에 안 돌아오면 알아서 마시고 가. 나 도준 오빠한테 붙잡힌 걸로 알고. 후훗."

신나게 도준을 욕할 때의 모습은 온데간데없었다. 단숨에 생기발랄해진 보라가 커튼을 비집고 나갔다.

홀로 남은 유나는 술값을 걱정하며 긴 한숨을 내뿜았다.

'여긴가?'

한 테이블의 커튼 앞에 선 보라가 두 귀를 바싹 기울였다. 나직이 흘러나오는 독특한 음성은 틀림없는 도준의 것이었다.

그녀는 바로 서서 옷매무새를 정리하고는 커튼을 살며시 걷었다.

"어머, 죄송해요. 저희 테이블인 줄 알고 착각을……!"

보라가 수줍게 웃으며 능청을 떨었다.

그러면서도 두 눈은 빠르게 좌우를 훑었다. 한쪽에는 도준, 맞은편에는 그의 매니저 태봉이 앉아 있었다.

"어? 도준 오빠 아니세요?"

"……?"

시선이 마주친 도준은 즉각 뜨악한 얼굴이 되었다. 그러거나 말거나 보라는 슬그머니 그의 옆에 엉덩이를 앉히며 즉시 말을 이었다.

"여기 어쩐 일이에요, 오빠? 아, 이렇게 보니까 너무 반갑다. 태봉 오빠도 안녕하세요. 두 분 같이 한잔하시러 오신 거예요?"

연이어 원하는 사람도 없는데 잔에 얼음을 채우고 술을 따르는 보라였다. 어이없어 하는 도준과 태봉에게 술을 한 잔씩 밀어주더니 그녀는 까르르 웃었다.

"두 분만 오신 거죠? 저 여기 합석할래요."

"일행 있어. 기다리는 중이야."

얼굴이 짜증으로 뒤덮인 도준 대신 태봉이 말했다. 알아서 눈치를 채고 비켜주길 바라는 마음이었지만 보라에겐 소용없었다.

"도준 오빠, 나 오늘 완전 속상해서 그래요. 나 시장과 사람들 3부작 까였단 말야. 나 좀 위로해 주면 안돼요?"

"……."

"응응? 오빠, 건배 한 번만요. 응?"

보라가 얼굴 앞으로 잔을 들고 간곡하게 말했다.

도준은 마지못해 한숨을 내쉬며 잔을 내밀어 부딪쳤다.

"그거 한 잔만 마시고 가. 진짜 올 사람 있어."

"누구예요? 나도 아는 사람인가?"

도준의 대답은 없었다.

보라는 굴하지 않고 막무가내로 할 말을 이어갔다.

"도준 오빠, 있잖아요. 재건 오빠한테 나 좀 좋게 말씀해 주시면 안 돼요? 나 그 드라마 꼭 나가고 싶어요. 둘이 친하시잖아요. 네?"

"……."

"부탁드려요. 오빠, 네? 귀여운 동생 한 번만 도와주세요. 우리 하루 이틀 알고 지낸 사이 아니잖아요. 아니면 재건 오빠랑 자리 한 번만 만들어주세요. 뭔가 저에 대해 오해가 있다면 풀고 싶어요. 잘되면 오빠가 해달라는 거 뭐든지 해 드릴게요."

"너한테 원하는 게 없는데."

탁.

소리가 나도록 잔을 내려놓으며 도준이 대꾸했다. 보라의 나이가 이제 고작 스무 살이어서 지르고 싶은 말을 꾹 참는 중이었다.

"나한테 말해봤자 소용없는 일이야. 그만 가라."

"도준 오빠……! 제발요, 네? 나한테 너무 차갑게 하지 마요."

보라가 도준의 팔을 와락 끌어안았다.

맞은편의 태봉은 착잡해진 두 눈으로 허공을 훑었다. 항시 정정당당한 승부를 좋아하는 도준이다. 보라의 이러한 행동이 그를 얼마나 화나게 만드는지 매니저로서 모를 수가 없었다.

"진짜 멍청하네."

"……오빠?"

"네가 왜 이렇게 외면당하고 있는지 모르겠어?"

도준이 보라의 손을 거칠게 뿌리쳤다. 보라를 노려보는 그의 양 광대뼈가 부들부들 떨리고 있었다.

"재건이가 만약 널 밀어냈다면 그럴 만한 이유가 있겠지. 성격은 더럽고 치졸한데 연기력은 초딩만도 못하니까."

"무, 무슨……?!"

보라의 얼굴이 백짓장처럼 새하얗게 질려가고 있었다. 도준의 성격이 다소 거칠다는 건 알았지만 이렇게까지 날선 반응을 보였던 적은 한 번도 없었다.

"웃음 팔 시간에 진짜 배우가 되라고. 너한테 필요한 건 그것밖에 없는 것 같다."

말을 마친 도준이 고개를 거둬들였다.

보라의 두 눈 가득히 뜨거운 눈물이 고였다. 방울져 떨어진 눈물이 테이블 위를 적셨다. 그에 아랑곳없이 도준은 냉랭하게 손을 휘휘 내저었다.

"미안한데 손님 오실 거거든. 다른 데 가서 울면 안 될까?"

보라가 비틀거리는 걸음으로 커튼을 비집고 나섰다.

또각또각.

그녀의 구두 소리가 들리지 않게 되어서야 태봉이 걱정스럽게 물었다.

"도준아, 조금 심했던 거 아니냐?"

"심해? 한 99%는 참은 건데?"

태봉의 잔에 술을 채워주며 도준이 말을 이었다.

"형은 재 어떤 앤지 몰라서 심하다는 소리를 해?"

"그러니까 심했다는 거지. 저런 애들은 인간 다이너마이트야. 언제 어떤 방식으로 폭발해서 너한테 피해를 입힐지 모른다고."

"하여간 형은 항상 걱정도 팔자야. 술이나 마셔."

"네가 너무 태평한 거다, 도준아."

그로부터 10여 분 후.

두 사람이 기다리고 있던 일행이 도착했다. 태봉의 옆에 앉으며 재건은 사과부터 했다.

"빨리 못 와서 미안해. 길이 조금 막혀서."

"미안하긴, 내가 갑자기 만나자고 한 건데 이 정도야 당연히 기다려 드려야지. 한잔 받아."

"근데 무슨 일 있었어? 너랑 태봉이 형이랑 얼굴이 왜 이렇게 굳어 있어?"

"너 기다리느라 심심해서 그래. 빨리 술 마시고 재밌는 얘기로 분위기 좀 띄워줘."

도준이 태봉에게 눈짓으로 신호를 건넸다. 간만에 즐거운 친구와의 술자리를 보라의 이야기로 망치고 싶지 않았다. 높이 올라간 세 사람의 잔이 경쾌하게 맞부딪쳤다.

BIG LIFE

—미안해, 이 감독. 투자자들이 눈을 돌리는데 별수 있나?

"……네, 이해해요. 제가 이 바닥 모르는 것도 아니고."

—시나리오 버리라는 건 아냐. 두고두고 써먹을 기회가 있겠지. 아, 이 감독. 내가 일이 있어서 이만 끊어야겠네. 조만간 시간 내서 소주나 한잔하자구.

"알겠어요, 고생하세요."

전화를 끊은 은하는 넋이 나간 채 움직일 줄을 몰랐다. 바깥에서 문고리를 돌리는 소리가 나지 않았다면 언제까지고 화장실 한가운데 서 있었을 터였다.

"아, 죄송해요. 아무도 없는 줄 알고."

문을 열자 소미가 서 있었다.

은하는 씁쓸히 웃으며 고개를 가로저어 보이고는 그녀를 지나쳤다.

"어디 아프세요, 감독님?"

"아니요……."

은하가 쥐어짜는 목소리로 대답했다.

이제는 감독이라는 호칭조차 부담스럽고 아팠다. 자리로 돌아온 그녀를 기다리는 건 속칭 또 '나가리'가 되어버린 시나리오였다. 이전에는 계약금이라도 받았지, 이번에는 들어가기도 전에 엎어진 것이다.

"바람 좀 쐬고 올게요……."

은하는 작가들의 걱정스런 시선을 등 뒤로 흘리며 사무실을 나섰다. 딱히 갈 곳도 없기에 대로의 한 방향을 길로 정하고 걸음을 내디뎠다. 여름의 끝에서 불어오는 처연한 바람이 온몸을 관통하고 있었다.

'이제 그만둬야겠지.'

할 만큼 했다는 생각이 들었다. 태성과 재건의 도움을 받아 용케 목숨을 조금 더 연장했지만 더는 무리인 듯싶었다. 기력이라곤 한 점도 남아 있질 않았다. 영혼까지 불태웠다고 자부할 수 있을 만큼 최선을 다했다. 그 노력의 대가라는 게 고작 소주 한잔의 약속이라니.

'태성아, 미안하지만 난 여기까지만 해야겠다.'

마침 눈에 보이는 은행이 있었다. 은하는 이끌리듯 그리로 들어섰다. 태성에게 생활비로 쓰라고 받은 돈을 그대로 돌려

주기 위해서였다. 영화계를 떠나기로 결심했으니 그의 돈을 쓸 수가 없게 됐다.

고향으로 내려가리라.

지독하게 고통스러웠던 나 혼자만의 꿈은 여기서 이만 끝내리라.

날 아는 이 누구 하나 없는 곳으로 떠나 고분고분 여생을 보내리라.

어느새 은하의 두 눈이 촉촉하게 젖어들었다. 시야 속에서 ATM의 화면이 희뿌옇게 물들고 있었다.

드르륵!

그때 주머니 속에서 핸드폰이 울렸다. 받지 않으려고 했지만 진동은 좀처럼 그치지 않았다. 은하는 ATM이 토해낸 카드를 거둬들이며 전화를 받았다.

"여보세요."

-안녕하십니까, 이은하 감독님이시죠? 저 ICU 엔터에서 근무하는 이경환 실장이라고 합니다.

생기 없던 은하의 두 눈 속에서 빛이 폭발했다. 귀에 못이 박히도록 들었던 태성의 말이 뇌리를 스쳐 가고 있었다. 준비된 자에게는 반드시 기회가 찾아온다고.

-……그래서 아직 이 감독님께서는 경험이 부족하시니 공동 연출을 부탁드리고 싶습니다. 저희 ICU와 계약하시고

프리랜서로서요. 여보세요? 이은하 감독님?

"네, 네…… 듣고…… 듣고 있어요……."

중력을 버티지 못한 눈물이 왈칵 쏟아졌다.

곧바로 은하가 은행을 박차고 나섰다. 그리고 온 길을 거슬러 사무실을 향해 내달렸다. 울면서도 쉬지 않고 그녀는 달렸다. 지나간 세월의 회한이 달려가는 등 뒤로 줄기차게 쏟아지고 있었다.

"어디 다녀오셨어요?"

사무실 문을 열자마자 재건이 기다렸다는 듯이 물었다.

은하는 입술을 꾹 깨물고 그에게 성큼성큼 다가갔다.

"안 그래도 드릴 말씀이 있어서 이제 막 전화 드리려고 했……?!"

재건은 말을 잇지 못했다. 그를 와락 끌어안은 은하가 소리 내어 엉엉 울음을 터뜨린 참이었다.

"고마워요……! 감사해요, 정말 감사해요! 으흐흑……!"

"무슨 말씀이세요, 이건 이 감독님 능력 덕이에요. 이 감독님 눈물이 보기보다 많으시네."

은하의 오열은 쉽사리 그치지 않았다. 재건은 언제까지고 한 그루 나무처럼 우직하게 서서 그녀의 눈물을 받아주었다.

사무실 저편 구석에서는 소미가 몰래 젖은 눈가를 찍어 누르고 있었다.

[겨자 목욕탕 개봉 임박, 원작 도서 판매량 80만 부 돌파!]

[소설 '오스카의 던전' 틴센트 문학 통해 중국서 전자책 서비스 개시, 하재건 효과 중국에서도 빛을 발할까?]

[게임 '겨자 목욕탕' OBT 시작, 넥션 남규호 이사 '게임 하나로 수십 권의 공포 소설을 읽는 재미를 줄 것']

[웅성출판그룹 오명석 편집장 '겨자 목욕탕 미국 시장 진입 초읽기']

[L.A에서 만난 재미 교포 학생들, '더 브레스 번역본 암암리에 선풍적인 인기몰이']

이른 아침의 작가 사무실.

연우는 습관처럼 재건의 이름을 인터넷으로 검색했다. 오늘도 봇물 터지듯 쏟아지는 뉴스를 하나하나 차분하게 확인하는 것이다.

존경심만으로 하는 일이 아니었다. 스스로 재건의 매니저라는 점을 자각하고 행하는 업무의 일환이었다.

"뭘 그렇게 열심히 보세요?"

"아, 정 대리님."

등 뒤로 다가온 소미가 양손의 컵 중 하나를 건넸다. 연우는 그윽한 향취를 뿜아내는 커피를 고맙게 받아 들었다.
“어제도 제가 타 드린다고 해놓고 죄송해요.”
“먼저 생각난 사람이 타는 거죠. 신경 쓰지 마세요.”
소미가 뜨거운 커피를 홀짝이며 창가로 눈을 돌렸다. 창틀에 웅크리고 앉은 두 마리의 고양이가 보였다.
믿음직한 누나처럼 창밖을 주시하는 리카, 그리고 새하얀 새끼고양이 철수였다.
문득 철수와 소미의 시선이 마주쳤다. 곧바로 철수가 창틀에서 스르륵 내려왔다. 그러더니 소미의 발치까지 다가와 뒷발로 서서 애교를 부리는 것이었다.
“고양이들이 정 대리님 진짜 좋아하는 거 같아요.”
철수를 안아 드는 소미에게 연우가 하는 말이었다.
“리카도 정 대리님 제일 많이 따르잖아요. 어쩔 때 보면 재건이 형보다도 정 대리님을 더 좋아하는 거 같다니까요.”
“에이, 설마요. 그래도 하 작가님이랑 제일 친하죠.”
소미가 철수를 가슴에 끌어안으며 답했다. 내심 기분은 좋았다. 재건의 소중한 가족인 리카가 자신을 곧잘 따라주는 것이 고맙기만 했다.
“근데…… 정말 철수라고 하신대요?”
소미가 품 안의 철수를 쓰다듬으며 못마땅한 투로 말을 이었다. 이토록 눈처럼 새하얗고 귀여운 고양이에게는 보다 어울릴 예쁜 이름이 있지 않을까 하고.

“그러게요. 저도 어이없어서 여쭤봤더니 그것도 엄청 고민해서 지은 이름이라고 하시던데요.”

“철수가…… 고민해서 지은 이름이라고요?”

“재건이 형 작명 센스 엉망진창인 거 아시잖아요.”

“으음…….”

고개를 끄덕이는 소미도 납득한다는 표정이었다.

바로 그때, 문이 열리는 소리가 울리며 복도 저편의 방에서 재건이 나타났다.

“이연우, 내 흉보고 있었지? 귀가 왜 이렇게 간지러워.”

“와, 레이더다, 레이더야.”

“진짜 내 흉봤어?”

“철수 이름 얘기하고 있었어요. 형, 인간적으로 철수는 너무 심한 거 아닙니까?”

재건이 입술을 살짝 내밀며 뒷머리를 긁적였다. 소미에게 안긴 철수가 영롱한 눈빛으로 물끄러미 바라보고 있었다.

“그럼 소미 씨가 좋은 이름 있으면 좀 지어주세요.”

“제, 제가요?”

“아니, 형. 왜 정 대리님 한정이에요? 저는요?”

“네 감성은 못 믿겠고. 부탁해요, 소미 씨. 편집자로서의 확실한 센스 기대합니다.”

재건이 컵을 들고 커피 메이커 앞으로 향했다. 그의 등 뒤에 대고 소미는 물었다.

"극본은 잘 되어가고 계세요?"

"한 편 끝냈어요. 이제 두 편 남았는데 또 얼마나 걸릴지는 써봐야죠."

"그래도 역시 빠르세요."

"소설을 미리 써놨으니까요. 이게 결국 단막극이나 단편소설이나 성질이 비슷해서요. 인물 간 관계를 크게 다룰 여유도 없고, 군더더기는 다 빼야 되고, 그래서 오히려 편하다고 해야 할까요."

말을 마친 재건이 여유롭게 커피를 한 모금 마셨다.

실제로 작업에 어려운 부분은 없었다. 처음으로 진출하는 TV 드라마라는 점 때문에 긴장했던 일이 우습게 여겨지는 나날이었다.

"형, 슬슬 씻고 준비하셔야죠."

"아, 그래야겠다."

재건이 손목시계를 들여다보고는 고개를 끄덕였다.

오늘은 영화 '겨자 목욕탕' 제작자 관련 시사회가 열리는 날이었다. 드디어 편집을 마치고 관객들 앞에 선보일 준비가 된 것이다.

시사회가 끝나고 난 다음에는 라디오 생방송 일정도 기다리고 있는 제법 빠듯한 일정이었다.

"소미 씨도 가실래요?"

"네? 저도요?"

"끝나고 점심 먹고 돌아와도 3시 전일 텐데요. 권 대표님이 저녁까진 푹 쉬셔도 된다고 하셨고."

"그건 그렇긴 한데요……."

소미가 주눅 든 표정으로 말끝을 흐렸다.

재건에게 누를 끼치는 건 아닐까. 제작자 시사회에 직접적으로 연관도 없는 일개 편집자가 참석해도 되는 걸까.

"영화 안 보고 싶으시구나?"

"아, 아니요! 엄청 보고 싶어요."

"그런데 왜 그렇게 고민하세요?"

"그게…… 리카랑 철수 봐줘야 할 사람도 필요하고……."

바로 그 순간, 등 뒤로 이제 막 일어난 현경이 구원처럼 나타났다.

"저 낼모레가 마감이라 빡글하고 있을 거라서요. 리카랑 철수는 저한테 맡기시고 다녀오세요."

"양 작가님 혼자서 괜찮으시겠어요?"

"알아서들 잘 노는데요, 뭐. 은영 누나가 있었으면 좋았겠지만. 무슨 민호 형이랑 누나는 또 아침부터 영화를 본다고……."

현경이 하품을 하며 주방 쪽으로 걸음을 옮겼다.

소미는 철수를 안고 있는 자신의 옷차림을 내려다보며 후회하고 있었다. 시사회에 가게 될 줄 알았다면 조금 더 신경 써서 입고 출근했을 텐데.

BIG LIFE

"어서 오세요, 하 선생님."

감독 태성과 매니저, 그리고 편집 기사 석지와 그녀의 편집실 식구들이 재건을 반갑게 맞았다.

재건은 고개 숙여 인사하고는 좌우의 일행을 그들에게 소개했다.

"오늘은 혼자가 아니네요. 이쪽은 다들 아시다시피 제 매니저이자 작가 이연우고요."

"우 감독 골로 보낸 그 친구죠?"

석지가 씩 웃으며 끼어들었다. 그녀는 민망스러워하는 연우에게 한 걸음 다가가서는 농담조로 귓속말을 이었다.

"자기 완전 내 스타일이야. 어떻게, 오늘 시사회 끝나고 이 누나랑 한잔 안 할래요?"

"네, 네? 어어……."

여자 면역이 없는 연우가 금세 얼굴을 붉혔다.

석지는 남자처럼 호탕하게 웃으며 그의 어깨를 때렸다.

"얼굴 금세 빨개지는 거 봐. 농담도 무서워서 못 하겠네. 그럼 이쪽 분은……?"

석지의 눈길이 소미에게로 옮겨왔다. 재건이 말하기도 전에 소미가 먼저 허리를 숙이며 소개했다.

"안녕하세요, 정소미라고 합니다. 하재건 작가님과는 예전에 장르 소설 담당 편집자로서 뵙게 되었어요. 그리고 지금도……."

"지금도 여전히 제 담당 편집자고요. 오스카의 던전 웹툰도 이분이 그려주셨어요."

재건이 흐려지는 뒷말을 덧붙여 주었다.

소미는 금세 수줍은 미소로 뒤덮인 얼굴을 살짝 떨어뜨렸다. 뿌듯해서 가슴이 부서질 것처럼 뛰었다. 이토록 대단한 각계의 유명 인사들과 함께 서 있다는 게 현실감이 없었다.

그럭저럭 인사를 마치고 모두가 시사회장으로 들어섰다.

연달아 놓인 3석에 재건, 소미, 연우 순으로 자리를 잡았다.

재건은 편안하게 넥타이를 고치며 아는 사람들이 얼마나 왔는지 뒤를 돌아보았다.

'아…….'

후방 한 객석에 재건의 시선이 고정되었다. 다리 위에 두 손을 모으고 다소곳이 앉은 예슬이 보였다. 화장기 없는 얼굴에는 긴장감이 그득했다.

"……?!"

이내 시선을 느낀 예슬도 재건을 바라보았다.

영화 시작 전의 술렁임 속에서 두 사람은 한동안 서로를 응시했다. 그런 끝에 재건이 먼저 가볍게 고갯짓을 해 보였다. 미약한 인사의 의미를 깨달은 예슬도 마찬가지로 고개를 끄덕여 답했다.

'괜히 아는 체해서 좋을 것 없으니까.'

고개를 거둬들인 재건은 싱겁게 웃었다. 오래간만에 다시 만난 것치고 딱히 감정의 동요도 없던 순간이었다.

이제 예슬도 어두웠던 밤으로부터 탈출했다. 동정은커녕 걱정할 여지도 전부 사라진 셈이다.

"재건이 형, 이거 많이 무서울까요?"

장내의 조명이 꺼지기 시작할 무렵. 연우가 소미의 어깨 너머로 재건에게 물었다.

얼굴은 울상이었고 목소리는 영락없이 앓아누운 환자였다.

"저 책으로 읽을 때도 무서워서 기절할 뻔했는데요. 이거 중간에 보다가 나가도 되는 거죠?"

"넌 평소엔 날아다니면서 왜 그렇게 담력이 약해? 쉿, 이제 시작한다."

스산한 음향과 함께 영화가 시작되었다.

처음부터 등장하는 인물은 의외로 예슬이었다.

조연으로 여고생 역을 맡은 그녀가 겨자 목욕탕이 있는 구시가지에서 담배를 피우는 장면이었다.

'진짜 여고생 같네.'

재건의 입가에 남모를 웃음이 일었다. 정말로 예슬이 내 소설로 만들어진 영화에 출연하게 되다니.

떨어져 있지만 같은 극장 안에 자리한 그녀와 교감하고 있는 듯한 기분마저 들었다.

장내는 영화에서 흘러나오는 소리 외에는 완연한 침묵이었다. 다들 목울대를 울리며 영화에 몰입하고 있었다. 긴장감이 극에 달하면서 연우는 남들보다 한발 앞서 오금을 바들바들 떨어대기 바빴다.

"으아아악!"

"꺄아악!"

첫 번째 비명이 사방에서 터졌다. 처음으로 목욕탕에서 겨자가 등장하는 장면이었다.

대략적으로 장면을 예상하고 있던 재건마저 기겁했을 정도로 자연스러운 연출이었다.

'으음?'

재건이 문득 와 닿은 감촉을 느끼고 시선을 옆으로 옮

겼다. 소미의 두 손이 그의 손을 꼭 붙잡은 참이었다. 그러면서도 겁에 질린 두 눈만큼은 스크린에 단단히 고정시키고 있었다.

"아, 아…… 죄송해요. 너무 놀라서 저도 모르게……."

금세 정신을 차린 소미가 황급히 손을 놓으며 사과했다. 재건도 조금 머쓱한 기분이 들어 콧등을 살짝 올리며 웃었다.

'혹시 누가 보진 않았겠지?'

소미는 슬그머니 주변의 눈치를 살폈다. 다행히 그녀의 시야 속에 들어오는 관객들 중 이쪽에 관심을 둔 사람은 없어 보였다.

그러나 단 한 사람.

뒷좌석의 예슬은 소미가 재건의 손을 잡았던 광경을 보았다. 어쩔 수 없는 일이었다. 영화가 시작된 순간부터 줄곧 재건만을 바라보고 있었으니까.

'누구지?'

예슬의 깍지 낀 열 손가락이 조바심으로 떨리고 있었다. 치켜뜬 두 눈은 재건과 소미를 아우른 채 움직일 줄을 몰랐다.

'여자 친구……?'

예슬은 극장에 들어오기 전 화장실에서 소미와 마주쳤었다. 재건의 일행이라는 걸 알았기에 화장을 고치는 척 그녀의 얼굴을 살폈다. 강아지처럼 귀여우면서도 예쁜 얼굴이란 생각이 바로 들었다. 건강하고 긍정적인 기운이 넘쳤다. 어지간한 남자라면 쉽게 끌릴 만한 여자라는 게 예슬의 감상이었다.

'여자 친구면 어때……!'

오래도록 자신감이 없어서 도망쳤던 주제에 아직도 이런 식이라니. 예슬은 연달아 한심스러운 스스로를 다그쳤다.

'멍청한 홍예슬. 재건 오빠가 평생 혼자 살 줄 알았던 것도 아니잖아? 네가 뭐 공주라도 된 줄 알아? 배우 돼서 딱 하고 나타나면 재건 오빠가 사랑스럽게 받아줄 거란 기대라도 한 거야? 정신 차려.'

중반으로 치달은 영화의 극적 긴장감은 한없이 고조되고 있었다.

하지만 예슬은 더 이상 집중하지 못했다. 혼란스러운 마음을 달래는 데에만 쓰기에도 남은 시간이 턱없이 모자랐다.

이윽고 영화가 끝이 났다.

올라가는 엔딩 크레디트와 함께 애플티의 채린이 부른 OST가 흘러나오고 있었다. 재건을 비롯한 모든 관객은 끝까지 자리를 지키며 그 애달픈 곡조를 음미했다.

"정말 고생하셨습니다, 윤 감독님."

재건이 태성을 끌어안으며 말했다. 이제는 악수가 아니라 포옹을 나눠야 할 만큼 인간적으로 가까워진 사람이었다.

"이번에도 환상적인 연출입니다. 제가 쓴 원작이라고 믿어지지 않을 만큼 엄청났어요. 개봉하기만 하면 원작 도서도 100만 부 돌파하게 생겼어요."

"칭찬이 과하십니다. 저야 하 작가님 시나리오 등에 업고 이번에도 선방하는 거죠."

"아직 쉬실 때 아니십니다. 질풍노도 남은 거 아시죠?"

재건이 속삭이고는 한쪽 눈을 찡긋해 보였다. 태성은 이맛살을 찌푸리며 웃고는 화제를 바꿔 말을 이었다.

"은하 일, 정말로 감사드립니다."

"그건 그만 말씀하세요."

"ICU 엔터에서 전화 받았던 그날, 저한테 빌린 돈 다 돌려주려고 은행가는 길이었답니다. 시나리오도 또 까였고, 더는 자신이 없어서 고향에나 내려가려고 했대요."

"……."

재건이 잠자코 고개를 끄덕였다. 사무실로 돌아오자마자 자신을 끌어안고 오열하던 은하의 얼굴이 눈앞에 아른거리는 듯했다.

"정말 여러 사람 도와주십니다. 몇 번이나 말씀드렸지만 은하 그 녀석 재능 있습니다. 하 작가님이 실망하시는 일은 없을 겁니다."

"저도 아니까 이 감독님 추천했던 거예요. 그리고 전 딱히 한 것도 없어요. 그쪽에서도 이 감독님 영화 보고 인정할 수밖에 없었던 거겠죠. 이제 정말 그 말씀은 그만두세요."

대화하는 두 사람의 등 뒤로 연우가 나타나 끼어들었다.

"재건이 형, 정문에 기자들 포진해 있는데요. 제가 차 후문으로 뺄 테니까 전화 드리면 그때 나오시는 게 좋겠어요."

"그럴까? 너 진짜 내 매니저 다 됐네."

"라디오 방송 늦으시면 안 되잖아요. 정 대리님은 제가 먼저 데리고 갈게요. 정 대리님, 가시죠."

"아, 네, 그럼 하 작가님, 먼저 나가 있을게요."

연우와 소미가 먼저 극장을 떠났다. 인물 조감독과 대화를 나누고 있던 예슬의 날카로운 시선이 소미의 등을 바싹 뒤쫓고 있었다.

to be continued

반자개 장편 소설
WISHBOOKS MODERN FANTASY STORY
건축의 신
누구도 내딛어 보지 못한
그 한 걸음을 내딛는 자!
평범한 가구 회사에 다니던 성훈
그러던 어느 날,
사고로 인해 20년 전으로 돌아왔다!
다시 시작하는 삶.
절대로 헛되이 보내지 않겠다!
세계 최고의 건축가가 되기 위한
성훈의 활약이 펼쳐진다!

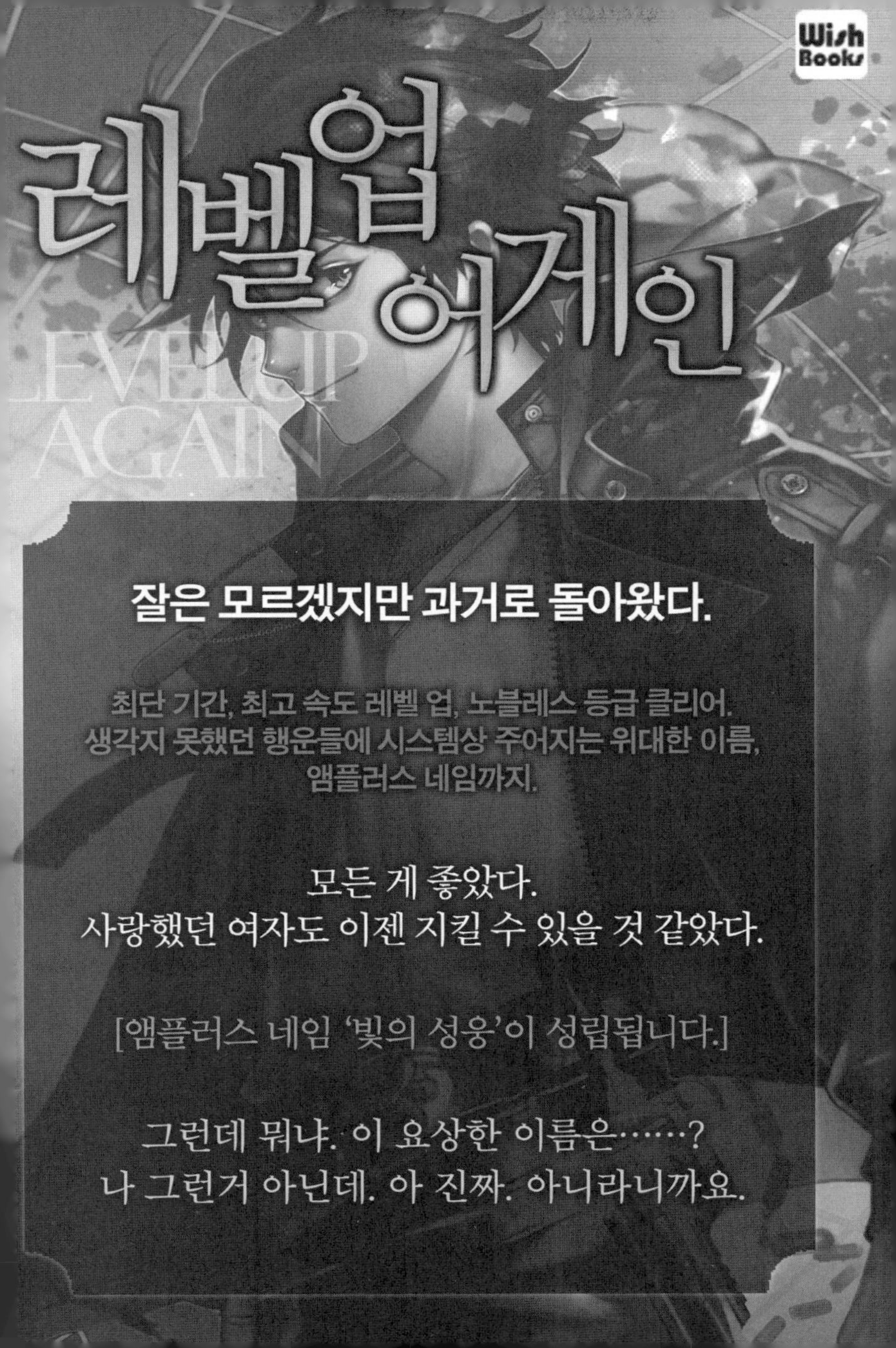
Wish Books
레벨업 어게인
LEVEL UP AGAIN
잘은 모르겠지만 과거로 돌아왔다.
최단 기간, 최고 속도 레벨 업, 노블레스 등급 클리어.
생각지 못했던 행운들에 시스템상 주어지는 위대한 이름,
앰플러스 네임까지.
모든 게 좋았다.
사랑했던 여자도 이젠 지킬 수 있을 것 같았다.
[앰플러스 네임 '빛의 성웅'이 성립됩니다.]
그런데 뭐냐. 이 요상한 이름은……?
나 그런거 아닌데. 아 진짜. 아니라니까요.

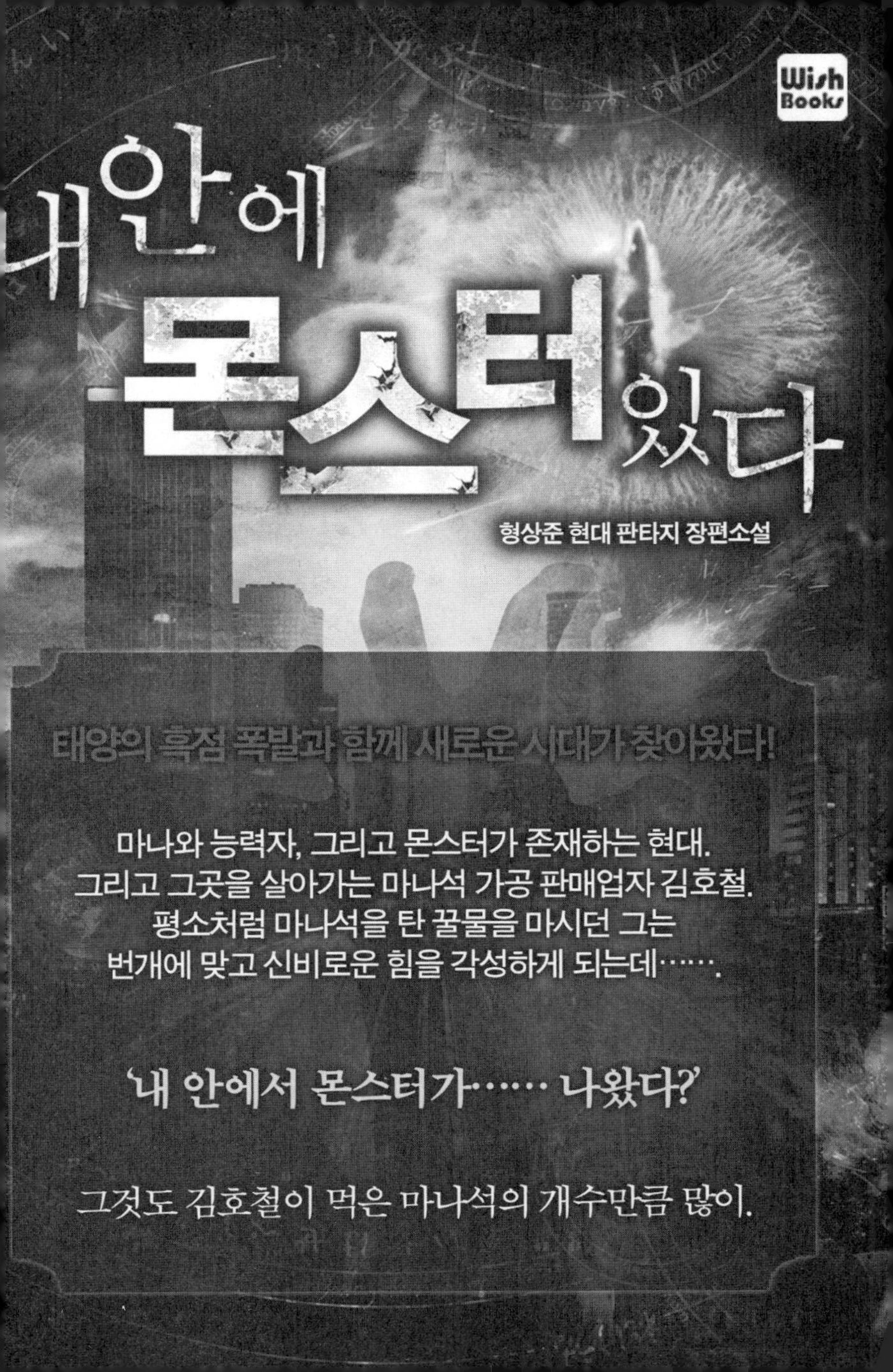
Wish Books
내 안에 몬스터 있다
형상준 현대 판타지 장편소설
태양의 흑점 폭발과 함께 새로운 시대가 찾아왔다!
마나와 능력자, 그리고 몬스터가 존재하는 현대.
그리고 그곳을 살아가는 마나석 가공 판매업자 김호철.
평소처럼 마나석을 탄 꿀물을 마시던 그는
번개에 맞고 신비로운 힘을 각성하게 되는데…….
'내 안에서 몬스터가…… 나왔다?'
그것도 김호철이 먹은 마나석의 개수만큼 많이.

포텐
POTENTIAL
어떤 사물에는 그것을 오랜 기간 사용한
사람의 잠재된 능력이 고스란히 담긴다.
그리고 난 그것을 사용할 수 있다.
천재 디자이너, 죽은 이도 살리는 명의,
감성을 울리는 피아니스트, 바람기 가득한 첩보원.
그 누구라도 될 수 있다. 단, 애장품만 있다면!
달인의 눈으로 세상을 바라보는,
유쾌한 민호의 더 유쾌한 애장품 여행기!